O VINHO NOVO É MELHOR

O VINHO NOVO É MELHOR

ROBERT THOM

Vida

Vida

Editora Vida
Rua Conde de Sarzedas, 246 — Liberdade
CEP 01512-070 — São Paulo, SP
Tel.: 0 xx 11 2618 7000
atendimento@editoravida.com.br
www.editoravida.com.br

Título do original: *The New Wine Is Better*
Edição publicada por
Whitaker House
(Louisville, Kentucky 40201)

■

■

Todas as citações bíblicas e de terceiros foram adaptadas segundo o Acordo Ortográfico da Língua Portuguesa, assinado em 1990, em vigor desde janeiro de 2009.

Editor responsável: Sônia Freire Lula Almeida
Editor-assistente: Gisele Romão da Cruz
Tradução: Amantino Adorno Vassão
Revisão de provas: Gibson James e Jair Recchia
Diagramação: Efanet Design
Capa: Arte Vida

2. edição:	**2006**	*9ª reimp.:*	jul. 2016
1ª reimp.:	set. 2007	*10ª reimp.:*	mar. 2017
2ª reimp.:	mar. 2009	*11ª reimp.:*	mar. 2018
3ª reimp.:	maio 2010	*12ª reimp.:*	dez. 2018
4ª reimp.:	fev. 2011	*13ª reimp.:*	out. 2020
5ª reimp.:	jan. 2012	*14ª reimp.:*	maio 2021
6ª reimp.:	fev. 2013	*15ª reimp.:*	nov. 2021
7ª reimp.:	ago. 2014	*16ª reimp.:*	fev. 2022
8ª reimp.:	ago. 2015	*17ª reimp.:*	jun. 2022

Dados Internacionais de Catalogação na Publicação (CIP)
(Câmara Brasileira do Livro, SP, Brasil)

Thom, Robert
O vinho novo é melhor / Robert Thom; tradução Amantino Adorno Vassão. — São Paulo: Editora Vida, 2007.

Título original: *The New Wine Is Better.*
ISBN 978-85-7367-185-8
e-ISBN 978-65-5584-066-7

1. Conversão 2. Convertidos — Biografia 3. Fé 4. Thom, Robert 5. Vida cristã I. Título.

07-5916 CDD 248.2460924

Índices para catálogo sistemático:

1. Convertidos : Biografia : Cristianismo 248.2460924

A meus amigos,
sr. Mark Leonard e esposa,
sr. Lucas Mason e esposa

Sumário

Preâmbulo

O programa da Rede de Irradiação Cristã — o CLUBE 700 — estava sendo transmitido de nosso estúdio em Dallas, quando um novo convidado foi apresentado e se assentou diante das câmeras de televisão. Imaginem a minha surpresa quando ele, sem proferir uma só palavra de saudação, levantou a mão para o céu e, diante de nossa audiência de âmbito nacional, berrou com voz retumbante: "Eis o que o Senhor acaba de mostrar-me em uma visão: a próxima estação de vocês será em Seattle, no Estado de Washington!".

Se o convidado fosse qualquer outra pessoa, eu teria admitido tratar-se de um golpe publicitário. Mas era o sul-africano Robert Thom, o mesmo homem que, em uma reunião na Virgínia, havia predito o assassinato do senador Robert Kennedy com exatidão três dias antes de ocorrer. Assim, ouvi com bastante interesse sua previsão acerca da nova estação de televisão.

Por isso não fiquei surpreso quando, justamente uma semana antes de receber um exemplar do livro *O vinho novo é melhor*, eu me vi no escritório do proprietário de uma outra televisão, assinando um contrato para apresentar meu programa. Isso mesmo — em Seattle, Washington — menos de quatro meses após a profecia admirável de Robert Thom!

O vinho novo é melhor é a emocionante história de como Jesus Cristo transformou um marinheiro sul-africano alcoólatra em um verdadeiro homem de fé como aqueles do Novo Testamento. Temos, neste livro, uma narrativa plenamente aceitável de um milagre dos tempos modernos, cuja verdadeira beleza está no fato de que glorifica a Jesus Cristo.

Algumas pessoas acham que o autêntico homem de fé deve andar por aí mostrando, no olhar, uma expressão distante e celestial, falando apenas de coisas como orientação, revelação e espiritualidade. O apóstolo Paulo, entretanto, pensava de modo diferente, como quando escreveu: "Temos esse tesouro em vasos de barro" (2Co 4.7).

Encontramos em Robert Thom uma conjugação do autêntico tesouro celestial com um autêntico vaso de barro. A história de como os dois se reuniram constitui leitura por demais interessante.

PAT ROBERTSON, Presidente
The Christian Broadcasting Network, Inc.

Prefácio

Eu tive o privilégio de ler o livro *O vinho novo é melhor* quando tinha apenas quinze anos de idade. Foi um divisor de águas em minha vida. A leitura me inspirou a desejar profundamente uma vida marcada pelo sobrenatural de Deus, tanto na decisão de andar em fé como na de aprender a corresponder à ação do Espírito Santo. E eu não apenas li, eu "comi" o livro! Li e reli vezes seguidas. Parei de contar quantas vezes li esse livro na décima sétima. Posso afirmar que foi uma das leituras mais importantes e impactantes da minha vida. Quem acompanha minhas mensagens com regularidade já deve ter ouvido isso algumas vezes.

Mas, além do bem que fez a mim, recomendo o livro por mais duas razões.

Primeiro porque nos transmite uma forte mensagem de um Deus que não muda, que ainda opera milagres como nos tempos bíblicos. Embora seja uma biografia (e não um livro de estudo bíblico), a história foi contada de forma a embutir muitos princípios da Palavra de Deus.

Segundo, porque as histórias das intervenções de Deus em nossas vidas devem ser contadas. Elas glorificam a Deus e edificam os que são expostos a elas. Penso que foi por esse motivo que Jesus, depois de libertar aquele endemoninhado gadareno, disse-lhe: "Vá para casa, para a sua família e anuncie-lhes quanto o Senhor fez por você e como teve misericórdia de você." (Marcos 5.19). Em outras palavras, Cristo pediu que ele não mantivesse a história da intervenção de Deus em segredo. E a história de Robert Thom deve ser conhecida pelas mesmas razões.

Desejo que esta leitura edifique sua vida como edificou a minha!

LUCIANO SUBIRÁ
Coordenador do Ministério *Orvalho.com*

Introdução

A Bíblia afirma: "Ora, a fé é a certeza daquilo que esperamos e a prova das coisas que não vemos" (Hb 11.1). Um dos melhores exemplos de homens que creem nisso e vivem por isso é Robert Thom. Viajando mundo afora pela fé, leva consigo a mensagem de Cristo e um entusiasmo contagioso, tão-somente por crer que Deus cumprirá sua Palavra. Com essa fé singela, o irmão Thom viu Deus prover não só o que sua família necessitava, como o sustento de um ministério que já alcançou milhares de pessoas.

Conheci o irmão Thom em 1961. Nesse ano, em uma igreja em Lebanon, Estado de Ohio, participei pela primeira vez de um culto sob sua direção. Naquele momento, Deus revelou ao irmão Thom que havia no auditório um jovem que sofria de hérnia. Senti de imediato que ele se referia a mim! Levantei-me, fui à frente para a oração e acabei milagrosamente curado.

Algum tempo depois, dei mais um passo de fé e abri minha empresa de construção e desenvolvimento — em parte, encorajado pelo irmão Thom —, e Deus abençoou ricamente meu negócio. Como o autor, também estou aprendendo a desfrutar as alegrias e aventuras inesperadas de viver pela fé.

O vinho novo é melhor é um livro que desvenda o segredo da fé, como ela operou na vida de Robert Thom e como pode operar em seu benefício, caro leitor.

W. Blaine Amburgy, Presidente
Blaine Development Corporation

1
Pobre menino rico

Meu nome é Robert Thom, e sou um milagre vivo; embora não passe de uma pessoa muito comum que descobriu que a vida não precisa ser a entediante monotonia de fazer as mesmas velhas coisas dos mesmos velhos modos, todos os dias... Isso se você estiver disposto a arriscar-se a viver pela fé.

Veja este cheque no valor de 2 mil dólares, por exemplo. Você acreditaria que um homem o *deu* a mim, sem impor nenhuma condição ou pedir algo em troca? Pois isso aconteceu recentemente. Eu estava hospedado no Hotel Travelodge, em Zanesville, Ohio. Acordei naquela manhã pensando em minhas dívidas. Dois mil dólares é um bocado de dinheiro, especialmente se você não o possui. O fato é que nossa gráfica no continente africano precisava, no mínimo, daquela quantia para começar a funcionar. Eu havia escrito cerca de 30 livros de cunho inspiracional para os cristãos daquele continente. As matrizes para reprodução já estavam prontas, já tínhamos o papel, e o prelo estava pronto para rodar. Mas eu não tinha a menor ideia de onde viria o dinheiro para pagar os empregados.

— Para que eu possa pagar os trabalhadores — falei a Deus naquela manhã —, o Senhor precisa realizar um milagre de 2 mil dólares aqui.

— *Já não tomei conta de você antes?* — ele pareceu dizer.

— Oh, é verdade — repliquei —, pensei mesmo que deveria ter mencionado isso...

— *Então por que você não começa por me louvar?* — a voz admoestou-me gentilmente. Lembrei-me imediatamente do versículo 3 do salmo 22, em que Davi se refere a Deus como o louvor de Israel.

"Por que não?", perguntei a mim mesmo. "Eu não tenho os 2 mil dólares, mas tenho as promessas de Deus; assim, vou tirar o dia de hoje para louvá-lo."

Estando ajoelhado, levantei-me, atravessei o quarto e fechei a porta. Sorri ao pensar no que ia fazer: "Quem jamais ouviu isso de tirar um dia livre só para louvar o Senhor?".

No entanto eu estava certo de que seria uma experiência revigorante: "Pai, dou-te graças por suprires todas as minhas necessidades. Bendigo o teu nome pelos 2 mil dólares que me enviarás. Louvo-te porque não preciso escrever cartas aos meus amigos pedindo ajuda. Todo o louvor ao Senhor! Aleluia!".

Caminhei no assoalho daquele quarto de hotel tão-somente me rejubilando no Senhor. Quanto mais o louvava, menor me parecia a quantia de 2 mil dólares! Lembrei-me de muitas outras coisas que Deus já havia feito por mim. Recordei como ele me salvou e me transformou, de um marinheiro beberrão a um pregador do evangelho. Recordei quando ele me deu um carro brilhando de novo, inteiramente de graça. Recordei como fui salvo de uma tentativa premeditada de assassinato. Cada incidente que me vinha à lembrança provocava mais louvores. Levantei as mãos para o céu e adorei na presença do Senhor:

"Ó Deus! Tens sido tão bondoso para comigo!", exclamei. "Eu te adoro! Eu te louvo!"

Pouco depois do meio-dia, o telefone tocou.

— Irmão Thom?

— Sim.

— Aqui fala o irmão Chambers. Aceita almoçar um bife comigo hoje? — Walt Chambers era um amigo que eu conhecera em Ohio por ocasião de um reavivamento.

— Bem — respondi, quase babando só em pensar no bife suculento —, seria ótimo; o seu convite me agrada muito. Mas veja, eu tirei este dia para louvar a Deus.

— Você *o quê*? — ele perguntou com um sorriso discreto.

— Separei este dia para oferecer a Deus o sacrifício de louvor — expliquei —, é para algo de que necessito. Fiz um pacto com Deus de louvá-lo o dia todo, e a minha necessidade será suprida, porque Deus é o louvor de Israel.

— Nunca *ouvi* algo semelhante — exclamou —; de qualquer modo, isso quer dizer que não há como nos encontrarmos hoje, não é? Vejamos. Que tal amanhã?

— Ótimo, Walt — repliquei —, é muita bondade sua. Se você puder apanhar-me amanhã ao meio-dia, será um prazer almoçar com você.

— Aí estarei — ele me assegurou. Agradeci-lhe mais uma vez e, colocando o fone no gancho, voltei a louvar a Deus pelos meus 2 mil dólares.

No dia seguinte o irmão Chambers veio buscar-me, e nos dirigimos a um restaurante no centro de Zanesville. Logo que sentamos para almoçar, ele foi dizendo:

— Irmão Thom, acabo de vender uma excelente propriedade e agora, por causa disso, sou devedor ao Senhor do dízimo do que recebi. *Que tal se eu lhe desse um cheque de 2 mil dólares?*

De imediato louvei o Senhor em alta voz!

— Irmão Chambers — falei, lutando para não elevar demais a voz —, isto só pode ser um milagre! Sabe que essa é a *quantia exata* pela qual eu, ontem, estava louvando o Senhor?

Em seguida louvamos o Senhor, então o irmão Chambers pegou o talão e começou a preencher o cheque.

Quando voltei ao meu quarto no hotel, peguei o cheque e fiquei a olhá-lo uma e outra vez com os olhos cheios de lágrimas. Deus havia, novamente, provado a mim a sua fidelidade. Ele não havia dito "O meu Deus suprirá todas as necessidades de vocês, de acordo com as suas gloriosas riquezas em Cristo Jesus" (Fp 4.19)? Foi com base *nessa promessa* que, no dia anterior, por antecipação, eu havia louvado a Deus. Naquela altura eu ainda não tinha quantia alguma, porém, *eu tinha a Palavra de Deus.* Eu sabia, por experiência própria, que Deus sempre cumpre suas promessas. Se Deus disse que supriria minhas necessidades, isso é tão bom como se ele já o tivesse feito. Assim, eu havia louvado ao Senhor pela fé. E agora o cheque estava na minha mão. Não havia nisso nenhuma surpresa, pois aconteceu exatamente o que eu esperava.

"Senhor", falei quando me deitei naquela noite, "viver pela fé em ti é a melhor maneira de viver!".

Ajustando meu travesseiro em uma posição mais confortável, acomodei-me na cama e comecei a lembrar como Deus me havia ensinado a andar pela fé. Minha memória recuou aos dias de minha infância na África do Sul, onde tudo começou de um modo quase inverossímil...

O Orfanato Metodista estava instalado em uma zona rural chamada Rondebosch, distante cerca de 12 quilômetros da movimentada Cidade do Cabo. As cinco construções de tijolo vermelho abrigavam por volta de 180 crianças, sujeitas a severa disciplina. Havia três casas para meninas e duas para meninos. Mesmo nos dias ensolarados, aqueles velhos edifícios de dois andares pareciam tristes e depressivos — os telhados escuros e as janelas dos sótãos cinzentos nos miravam lá de cima como guardas postados nos muros de uma prisão.

Foi em 1925 que minha mãe, viúva, levou a mim e a minha irmã ao orfanato. Eu estava com 10 anos de idade. Mamãe assegurou-nos que nos sentiríamos bem com as outras crianças, e que as pessoas que tomariam conta da gente nos dariam muito amor.

— Vocês sabem o quanto o pai de vocês confiava nessa instituição — mamãe nos disse —; todo ano ele doava 700 dólares para o sustento desta instituição, e tenho certeza de que ele ficaria contente se soubesse que dois de seus filhos estão sendo amados e educados por pessoas cristãs.

Contudo eu jamais entendi a espécie de amor que havia ali. Acho que tinham boas intenções, mas a disciplina era tão rigorosa que ficava difícil sentir alguma forma de amor. Passei quatro longos anos nesse lugar e, à medida que o tempo passava, mais eu o odiava. Odiava levantar-me naquelas manhãs frias e nevoentas e ter de esfregar os pisos de cimento, vestido apenas com uma camisa fina e um calção, sem nenhum tipo de calçado.

"Deus querido", eu choramingava ajoelhado no cimento frio, segurando a dura escova, "por que o Senhor deixou papai morrer? Por que tenho de viver neste lugar horrível? Eu quero ir para casa!".

No entanto, parecia que Deus não me dava a menor atenção. Semana após semana e mês após mês, eu continuava a levantar cedo naquelas manhãs tristes e friorentas e a esfregar aqueles pisos de cimento. Não demorou muito e comecei a tossir e a sentir a respiração curta. Naquele tempo eu não sabia, mas a contínua exposição às frias manhãs estava desenvolvendo em mim uma séria doença — a asma.

Certa manhã, seguro de que ninguém estava me vendo, deixei o escovão cair com grande estrondo e desabafei:

"Eu odeio este lugar! Eu odeio, odeio, ODEIO!"

— Oh, você odeia, não odeia? — Uma voz falou atrás de mim.

Olhei para cima, surpreso e envergonhado de que alguém tivesse ouvido. Era a irmã Emily Dunn, a inspetora de serviço!

— Venha comigo, Robert — disse rispidamente —, você precisa fazer o que lhe ordenam sem se queixar. Não leu na Bíblia que, quando as pessoas se queixam, isso desagrada ao Senhor?

Levou-me ao seu escritório, deu-me uma boa surra em nome do Senhor e me mandou voltar e acabar o meu serviço.

Terminada a tarefa matutina, éramos todos obrigados a tirar a roupa e a tomar banho em água fria como gelo. Recordo certa manhã tremendamente fria, quando um dos garotos disse:

— Ei, pessoal, há gelo nessa água!

Olhamos todos para a velha e antiquada banheira na qual, não havia dúvida, uma fina camada de gelo formava a superfície da água.

— Eu não vou entrar aí! — um garoto gritou.

— Nem eu! — outro exclamou.

— Mas se não ouvirem o barulho da água, logo saberão que não estamos tomando banho! — outro menino advertiu.

— Então vamos quebrar o gelo e agitar um pouco a água! — sugeriu outro garoto.

Pareceu uma boa ideia para os demais; assim, um a um, mergulhamos parte do pé na banheira e agitamos a água três vezes para darmos a impressão de que estávamos tomando banho.

Contudo o que não sabíamos era que a irmã Emily Dunn estava nos observando por um buraco no forro! Depois que nos vestimos, lá estava ela! Levou-nos todos ao seu escritório, pegou sua vara de marmelo de quase um metro e meio e disse:

— Que vergonha! Vocês não sabem que a Bíblia diz "[...] vocês não escaparão do pecado cometido"? Se hoje está muito frio para tomar banho, talvez *isto* os esquente, o que acham? — E em um por um, asperamente, ela virou nossas palmas e, com aquela vara temida, vibrou golpes firmes e dolorosos em nossas mãos.

— Agora desçam para o refeitório e comam sua refeição! — resmungou. — E que eu não volte a pegá-los fugindo do banho!

— Sim, senhora! — cantamos em coro e saímos correndo para nos juntar aos demais. Em cada degrau que eu pisava, dizia comigo mesmo: "*Odeio este lugar! Ó Deus, como odeio este lugar! Odeio estas pessoas e a religião delas! Odeio tudo isto!*".

No refeitório, ficávamos em posição de sentido como soldados e repetíamos a mesma oração de sempre antes de cada refeição: "Faça-nos, Senhor, sinceramente agradecidos pelo que vamos receber. Amém". Até essa oração eu odiava; a mesma velha oração, três vezes por dia, diariamente. Para mim era repugnante.

Depois de um mingau, grossas fatias de pão e xícaras de chocolate, tínhamos de lavar os pratos. Minha tarefa era esfregar os caldeirões e as panelas. Quase sempre eu terminava minha tarefa em cima da hora de sair correndo para a aula.

Tínhamos escola no orfanato, uma das poucas coisas que eu apreciava ali. Na África do Sul a educação está muito avançada, resultado do grande e bem-cuidado preparo pré-escolar exigido. Por causa disso, eu esperava graduar-me aos 14 anos de idade. E, como não queria permanecer naquele orfanato um único dia além do necessário, muito me esforcei nos estudos para graduar-me no tempo certo. Consegui manter-me como primeiro aluno da classe durante todos os quatro anos.

Depois das aulas matutinas, voltávamos ao refeitório e recitávamos a mesma velha oração: "Faça-nos, Senhor, sinceramente agradecidos pelo que vamos receber. Amém". Duvido que qualquer um de nós dedicasse um só pensamento ao que estávamos dizendo. Não passava de uma rotina estritamente mecânica, e quem desejasse comer melhor teria que repetir aquela "senha".

Após o almoço havia mais panelas e caçarolas para esfregar, antes de seguirmos para as aulas da tarde. As atividades da escola se encerravam às 15h30 e, em seguida, durante uma hora tínhamos de esfregar e encerar um pouco mais os assoalhos. Ao final do trabalho, aqueles assoalhos brilhavam de tal maneira que você poderia ver seu rosto perfeitamente refletido neles.

Permitiam-nos uma hora de recreio antes do jantar. Sem essa hora, poderíamos ter enlouquecido. Mas até nessa ocasião, éramos cuidadosamente vigiados para que não fizéssemos muita algazarra. Fosse como fosse, era melhor do que nada, e nos sentíamos gratos pelo breve alívio da esmagadora disciplina do dia.

Às 17h30 nos reuníamos no refeitório para o jantar. Lá vinha de novo a monótona repetição das vozes da meninada em abafado uníssono, remoendo aquela oração: "Faça-nos, Senhor, sinceramente...".

Algumas vezes, ao sentar-me à mesa, a memória me levava de volta aos felizes dias em Oudtshoorn, a 500 quilômetros dali. Naquele tempo éramos ricos. Eu lembrava muito claramente: as árvores formando arcos de sombra no gramado à frente da casa; a casa de pedra de 12 quartos na High Street, erguendo-se imponente como se fosse a mansão de uma fazenda; minha mãe saindo para fazer compras confortavelmente acomodada em um belo carro puxado por seis cavalos brancos, com suas brilhantes plumas de avestruz enfeitando os arreios; os criados que enceravam o chão, cuidavam dos jardins, lavavam e passavam nossas roupas e nos serviam à mesa; meus sete irmãos e irmãs e os fiéis criados que tomavam conta de nós e brincavam conosco debaixo das árvores.

Meu pai, Alexander Thom, um dos proeminentes homens de negócios de Oudtshoorn, era um escocês forte, louro e imponente em seu 1 metro e 90 de altura. Oudtshoorn era a capital do mundo quando se falava em avestruz, e devia seu sucesso às mulheres que, em todo o mundo, usavam as elegantes plumas da ave em seus chapéus. Meu pai era joalheiro, mas, quando percebeu todo o movimento no mercado de penas de avestruz, entendeu que seria um bom investimento ajudar as finanças de alguns criadores para que eles pudessem aumentar suas criações. Durante algum tempo, o investimento pareceu vantajoso e os lucros se fizeram presentes. Mas um dia em 1922 meu pai voltou para casa com más notícias.

— Maria, o negócio das penas está afundando — ouvi-o dizer à minha mãe, uma irlandesa de cabelos pretos.

— Oh! Isso quer dizer que estamos em dificuldades? — ela replicou, um tanto surpresa.

— Bem, a coisa está ruim para os criadores de avestruz. Mas você já imaginou o que vai acontecer se os criadores forem afastados do negócio? Depois de todo aquele dinheiro que emprestei a eles...

Mamãe fechou-se em profundo pensamento por um momento, parecendo não saber o que dizer. Mas foi apenas um momento.

— Talvez não seja tão mau quanto parece. Todo negócio tem seus maus dias — ela disse, tentando confortar meu pai.

— Um mau *dia* podemos tolerar, mas quando isso se transforma em *semanas*, você sabe que as coisas não estão bem — ele retrucou.

Quando o terrível desastre financeiro ocorreu alguns meses depois, fomos duramente atingidos. Todos os fazendeiros da área ao redor estavam em débito conosco e não tinham condições de nos pagar. Papai ainda possuía, é claro, a joalheria, mas eu bem me recordo de que tivemos ocasiões de intensas orações em nossos cultos domésticos. Lembro-me muito bem de como os rapazes que cortejavam minhas irmãs naquela época se sentiam embaraçados quando meu pai os fazia participar de nossas reuniões de oração antes de ir a algum lugar!

Pobre gente rica! Fosse como fosse, Deus nos viu no meio daqueles dias difíceis sem que evidenciássemos maior abatimento, a não ser o orgulho um tanto afetado. Mamãe testificou que Deus ouvira nossas orações, e eu acreditei que sim!

De vez em quando, naqueles tempos de oração, papai começava a falar acerca da morte.

— Sabe de que eu gostaria? Quando eu morrer, gostaria que acontecesse no mesmo dia em que morreu meu Salvador: a sexta-feira da paixão. Não seria esse um belo dia para partir para o céu e estar com o Senhor? — ele perguntava.

— Ora, papai, você acha necessário falar a respeito da morte? — mamãe dizia com alguma tristeza.

— Bem, o fato é que todos vamos morrer *algum dia*. E a sexta-feira da paixão é o dia que se ajusta comigo de modo perfeito — ele argumentava.

— Bem, mas não percebo que diferença faz o dia em que você morrer — mamãe replicava.

— Pode ser que não, mas o Senhor tem me atendido em desejos menores do que *esse*, não tem? — papai insistia

Meu pai era um homem peculiar. Era um presbiteriano com grande interesse pela Bíblia e pela oração; no entanto, não consigo me lembrar de tê-lo visto alguma vez na igreja. Mesmo assim, era respeitado por todos como homem de profunda devoção e também muito amado, especialmente pelos menos favorecidos da Cidade do Cabo.

Recordo-me do dia em que ele morreu. Eu tinha apenas 10 anos. Papai vinha tendo problemas respiratórios, e ultimamente sua respiração se tornara difícil. Certa manhã, como era quase meio-dia e ele ainda não se levantara, entrei no quarto para ver por que continuava na cama. Eu o vi, então, respirando com dificuldade, comprimindo o tórax e lutando desesperadamente em busca de ar. Saí do quarto como uma flecha para chamar minha mãe.

— Acho bom a senhora ver o papai. Ele não está passando bem — disse-lhe.

Pelo tom de minha voz, mamãe percebeu que eu estava muito assustado. Disparou para o quarto e levou um susto ao encontrá-lo naquela ânsia para respirar. Papai contava apenas 52 anos de idade e jamais dera a impressão de estar tão doente. Ela tentou socorrê-lo, porém, por mais que fizesse, não conseguiu aliviar-lhe a angústia. Ele continuou a piorar e, às 15 horas, morreu inesperadamente. Chocados, só muito depois nos demos conta de que sua morte ocorreu em uma *sexta-feira da paixão*...

Durante o cortejo fúnebre, em ambos os lados das ruas, a uma distância de cinco quilômetros até o cemitério, os pobres formavam filas extensas, caso único na África do Sul. Aquela gente amava meu pai.

Foi pouco tempo depois do enterro de papai que mamãe decidiu nos internar, eu e minha irmã, no Orfanato Metodista que ficava a 500 quilômetros de casa. Para ela foi uma decisão terrível. De repente seu mundo estava em pedaços! Como nunca pensara em morrer tão cedo, papai não fizera um testamento. Mamãe ficou sem nada. As dívidas deixadas por ele andavam por volta dos 50 mil dólares e mamãe não se julgava capaz de gerir todos os detalhes da joalheria.

— Não posso *dirigir* esse negócio. Alexander sempre controlou tudo, e é responsabilidade demais para mim — ela choramingou.

O magistrado local se prontificou a ajudá-la, mas 50 mil dólares pareciam uma montanha irremovível para ela. Por isso, tomou a decisão de sair dali e deixar que as propriedades fossem vendidas em leilão. A joalheria, a casa grande de pedra, os móveis e nossos cavalos; ela abandonou tudo e se foi para a Cidade do Cabo.

O ruído do arrastar das cadeiras ao nos levantarmos das mesas no refeitório do orfanato me trouxe de volta à realidade, como se eu tivesse levado um choque. Estivera tão profundamente imerso nas lembranças de Oudtshoorn que não sentira o tempo passar. Rapidamente meti na boca, de uma só vez, os últimos dois ou três pedaços de batata que restavam no prato e, de um salto, reuni-me aos outros meninos que se dirigiam à cozinha para a tarefa de panelas e louças.

Arrumada a cozinha, fomos mandados aos nossos quartos para estudar até a hora de dormir. Às oito da noite resmungamos uma oração decorada, caímos na cama exaustos, e as luzes se apagaram.

Mamãe havia alugado uma pequena casa perto de Maitland, cerca de seis quilômetros do orfanato. Mas, para nossa grande tristeza, só permitiam que ela nos visitasse, quatro vezes por ano.

Essas visitas costumavam ser nos sábados à tarde. A princípio, eu a aguardava com muita ansiedade, mas, depois de um ano ou dois, nosso amor já não era o mesmo. Vivíamos no nosso pequeno mundo, e ela vivia no dela. Algumas vezes se tornava difícil encontrar um assunto quando ela vinha e, por isso, ficávamos embaraçados, como estranhos tentando conversar.

A outra única diversão da melancólica rotina do Orfanato Metodista eram as férias de três semanas na época do Natal. À medida que a ocasião se aproximava, mal conseguíamos disfarçar a alegria espontânea que brotava ao pensarmos em sair de nossa "prisão", ainda que por poucas semanas. Mas sabíamos que era preciso reservar a alegria para nós mesmos. Seria muito ruim se a irmã Emily Dunn percebesse o quanto estávamos ansiosos para partir!

De alguma forma, no entanto, essas férias se constituíam em certo desapontamento para mim. Era difícil esquecer totalmente a disciplina rigorosa do orfanato. Parecia que a irmã Emily Dunn estava sempre me vigiando como um espectador silencioso. Sua religião rígida criara um muro ao redor de mim, semelhante às fortificações que cercavam Jericó.

A nova casa de mamãe foi um desapontamento. Senti falta da nossa esplêndida casa de pedra em High Street, do imenso gramado onde costumávamos brincar e do meu agradável quarto. A mudança deve ter sido tão difícil para mamãe quanto foi para nós, embora ela jamais tivesse dito uma palavra a respeito. Ganhava seu sustento cuidando de pessoas idosas, fazendo serviços domésticos e algum trabalho extra. Lembrando dos criados que tínhamos em Oudtshoorn, eu me admirava de como ela conseguia se manter tão alegre e bem disposta.

— Você está tossindo muito, Bobbie. Venha aqui e tome um pouco do meu xarope — ela dizia.

Eu tomava dose após dose do seu remédio, mas de nada adiantava.

— Como será que você pegou esse resfriado? Será que você andou brincando por aí sem agasalho? — ela perguntava, solícita.

— Ora, mamãe, estou sempre com o meu agasalho. A senhora não precisa se preocupar; é só um pouquinho de tosse. Em poucos dias estarei bom — eu respondia; não queria lhe contar a respeito da minha tarefa de esfregar aqueles pisos de cimento e de como o frio era forte pela manhã.

No início da terceira semana de férias, quando percebi que logo estaria de volta ao orfanato por mais um ano, um desânimo começou a tomar conta de mim. Bem que eu gostaria de dizer à mamãe o quanto odiava aquilo, mas nunca ousei fazê-lo. É bem provável que ela desconfiasse de alguma coisa.

Lutei contra as lágrimas por todo o caminho de volta ao orfanato. Antes de me deixar, mamãe pôs a mão sobre minha cabeça e disse:

— Vou orar por você, Bobbie. Você sabe que seu pai e eu sempre quisemos um ministro na família. E você será um *bom* ministro! — E foi embora.

Ministro! Não *eu*! Sentia-me tão enjoado de religião que podia até morrer! A *querida* irmã Emily Dunn e suas orações rabugentas! Orações toda manhã, toda noite, toda refeição! A mesma conversa mole religiosa, sempre e sempre! Estava tão enjoado daquilo tudo que seria capaz de vomitar!

"Querido Deus, a vida cristã *deve* ser algo mais do que o que estou *vendo* aqui", orei naquela noite. Depois de pensar um pouco, surpreendi-me acrescentando: "Você sabe, eu realmente *gostaria* de ser como papai e mamãe disseram, mas não se eu tiver de ser como esta gente aqui!".

Deitei-me em minha cama, sentindo-me um pouco culpado por ter tão maus pensamentos. Afinal de contas, o pessoal do orfanato *estava* nos alimentando, nos vestindo e nos educando. Não que eu ignorasse isso. Mas estava faltando alguma coisa, algo indefinível de que eu precisava desesperadamente. Ali fiquei, no escuro, com as lágrimas escorrendo pelo rosto, tentando descobrir o que estava errado.

Alguns dias depois, à tardinha, todos os 180 internos estavam reunidos na igreja do orfanato para ouvir a pregação de um seminarista. Não me lembro do seu nome, mas jamais esquecerei o que ele disse:

— Deus realmente os *ama*. Vocês, meninos, significam *muito* para Deus. Vocês são algo muito especial para ele! — disse com muita firmeza.

Eu sorvi cada palavra. A mesma coisa fizeram os outros garotos. As palavras daquele pregador caíram como gotas de chuva em um jardim ressequido. "Amor!" Fazia muito tempo que não ouvíamos algo assim! O jovem pregador prosseguiu:

— Ouçam-me. Deus os amou de tal maneira que enviou seu Filho unigênito para *morrer* por vocês! Jesus deu a vida e derramou o próprio sangue para pagar o castigo pelos pecados de vocês. E vocês podem conhecer Jesus e sentir o seu amor se pedirem que ele entre em sua vida!

De volta ao dormitório naquela noite, eu não conseguia dormir. Rolei sem sossego horas a fio, sempre pensando em Deus, admirado de que ele *realmente* me amasse.

— Deus, se o Senhor é *realmente* Deus, e se está verdadeiramente interessado em minha vida, então apareça para mim esta noite e faça com que eu me sinta consciente de sua presença junto à minha cama — orei baixinho.

Eu ainda não havia terminado minha oração quando ouvi o relógio da igreja bater a meia-noite. Eu já ouvira aquelas lúgubres badaladas muitas vezes, mas agora soavam como as harpas dos anjos. Imediatamente senti a presença de Deus. Sua glória me invadiu como ondas e ondas de eletricidade líquida. Era quase como se Deus se curvasse sobre mim e sussurrasse "Eu amo você".

Por muito tempo chorei e chorei. Eu não conseguia evitar. Deus *me* amava!

2
Uma dose de conhaque mentolado

Recebi meu diploma escolar do orfanato em 1929, aos 14 anos de idade. A irmã Emily Dunn me dispensou um tratamento muito carinhoso no dia da formatura, embora eu desconfiasse que sua felicidade talvez se devesse mais ao fato de ficar livre de mim. Todos os formandos receberam um terno novo, dois pares de sapatos e um par de botas. Fomos em seguida devolvidos ao mundo para nos arranjarmos por nós mesmos. Mas voltei para casa com grandes esperanças de continuar os estudos.

Entretanto, logo que mamãe me recebeu em sua casa de tijolos, composta de três quartos, em Maitland, deixou bem claro que eu teria de conseguir um emprego e ajudar nas despesas da casa. Mais velhos do que eu, meus irmãos Alec e Leslie e minha irmã Myrna trabalhavam para ajudar nas despesas da casa, e eu deveria fazer o mesmo.

Poucos dias depois, um de meus irmãos me ajudou a arranjar um emprego de auxiliar no departamento de contabilidade da Companhia de Elevadores Otis, ganhando o salário ridiculamente baixo de 4 dólares e 35 centavos por semana.

— Mãe, a senhora concorda que eu lhe entregue 4 dólares e fique com os 35 centavos? — eu disse com alguma hesitação. Quatro dólares não eram grande coisa, eu sabia, mas achava que pelo menos ajudaria a pagar o aluguel, que era de 8 dólares e 40 centavos por mês.

— Bobbie, você sabe que eu não aceitaria o seu dinheiro se a situação não estivesse tão ruim. Talvez as coisas melhorem. Mas, até lá, temos de continuar a reunir em um fundo comum todo o dinheiro que tivermos para equilibrar o orçamento — respondeu pesarosamente.

Contudo eu sabia que as coisas não mudariam, a menos que eu estudasse mais e me capacitasse para um emprego melhor. Conversei a esse respeito com mamãe e, finalmente, ela permitiu que eu frequentasse uma escola noturna, embora fosse um grande fardo para ela.

Logo que fui me ambientando, descobri que nem tudo estava bem em nossa casa. Havia uma frieza no ar que me incomodava. Raramente nos falávamos, a não ser quando estávamos brigando. O fato era que Alec e Leslie me ignoravam e, como tinham mais de 20 anos de idade e eu, apenas 14, pouco havia para dizermos uns aos outros.

Em seguida surgiu o problema da igreja. Desde meu encontro com Deus no orfanato, minha vida mudou muito. E quando fui morar em Maitland, decidi que frequentaria a Igreja Metodista da cidade. Mas logo descobri que passaria por maus bocados, e logo no primeiro domingo de manhã. Alec e Leslie haviam chegado muito tarde na noite anterior e estavam dormindo. Eu me preparava tão silenciosamente quanto possível para ir à igreja, mas o barulho da água correndo e o meu caminhar entre o guarda-roupa e o espelho acordaram Alec.

— Eh, garoto, o que você está fazendo aí? — ele perguntou do seu quarto.

— Estou me arrumando — respondi timidamente.

— Arrumando-se *pra quê*?

— Para ir a um lugar.

Nessa altura Leslie também havia acordado. Ambos se levantaram e, ainda meio sonolentos, entraram no meu quarto.

— Ahh, *já vi tudo*! Você vai à *igreja*, não vai? — Alec zombou, falando meio enrolado, de olho na minha camisa branca e na gravata.

— Sim. O que *você* tem com isso? — repliquei de olhos baixos.

— Você não sabe que nesta família ninguém vai à igreja? — Leslie bufou.

— Pois talvez devessem ir — respondi, tentando criar coragem.

— Não tente bancar o sabido com a gente, menino. Não precisamos nem um pouco de sua religião por estas bandas! — Alec ameaçou.

— É isso mesmo. Nós não acreditamos nessa coisa — Leslie apoiou.

— Alec! Leslie! Deixem seu irmão em paz! — ouvi minha mãe chamando do seu quarto.

Eles voltaram para o quarto, mas daí em diante passaram a me evitar como se eu fosse um leproso. Myrna falava comigo uma vez ou outra, e mamãe procurava ser boa para mim; mas no fundo eu levava uma vida solitária.

Quase todo sábado à noite, Alec e Leslie recebiam amigos para um jogo de cartas. Houve uma noite de sábado em particular na qual, depois de ter ido para a cama, ouvi minha mãe discutindo com eles a respeito de alguma coisa.

— Vocês sabem que seu pai não toleraria essa jogatina, nem eu vou tolerar! — mamãe disse.

— O dinheiro é *meu*, não é? — Alec retrucou.

— Mas vocês *prometeram* que ajudariam nas despesas da casa. E aí estão vocês perdendo tudo no jogo! — ela se queixou em voz alta.

— A senhora está dizendo que não podemos ter um pouco de diversão com nossos amigos de vez em quando? O que a senhora está tentando fazer, afinal de contas? — Leslie reclamou.

— Estou tentando conservar um lar em harmonia! E o que *vocês* pretendem? — mamãe respondeu, um tanto alterada.

— Não grite comigo, minha senhora! Não estou aqui para aguentar essa dureza! — Alec rosnou.

— Saiam! — mamãe retrucou.

— Obrigue-nos! — Leslie desafiou.

Foi então que ouvi o barulho de pisadas e gritos e cadeiras caindo. Pulei da cama a tempo de ver mamãe empurrando e pondo porta afora o bando todo. Atirando as cartas para o ar, todos saíram com uma enxurrada de xingamentos. Foi até engraçado ver minha mãe, tão pequena, dominá-los com tanta eficiência. Na ponta dos pés, voltei às pressas para a cama, a fim de que ela não me visse. E antes de dormir fiz o voto de jamais causar à minha mãe os desgostos que Alec e Leslie estavam provocando. Mas eu não sabia de nada...

Aos 17 anos deixei de frequentar a igreja e me sentia muito enfadado. Estava tão farto da vida que quase desejei estar de volta ao orfanato.

Foi em 1933. Era noite e, incapaz de suportar mais meu aborrecimento, resolvi espiar um baile que se realizava no Salão de Todos os Santos, o salão de festas da Igreja Episcopal, para ver se algo estimulante acontecia.

E aconteceu! A garota mais linda que eu jamais havia visto estava naquele salão de baile. Era uma esplêndida lourinha de risonhos olhos azuis. Era mimosa como uma borboleta e muito graciosa; uma coisa de louco e, quanto mais a olhava, mais gostava dela.

Daria qualquer coisa para conseguir um encontro, mas sempre fui meio desajeitado com as garotas, por isso continuei ali, duro, com as mãos no bolso, dando a entender que não estava interessado na dança. Mas ela me viu e, em um intervalo das danças, veio até mim.

— Olá, sou Joyce O'Connor. Qual é *seu* nome? — perguntou, sorrindo.

— Oh, meu nome é Robert... Robert Thom — exclamei, meio engasgado pela surpresa.

— Você gosta de dançar? — perguntou.

— Bem... Sabe... Eu não sei se... Quero dizer, eu...

— Você quer dizer que não sabe dançar?

— É isso, não sei muito bem...

— Sem problemas, eu ensinarei você! Venha!

E, com isso, pegou-me pela mão, arrastou-me para a pista de dança e começou a me ensinar alguns passos. A princípio senti-me tão atrapalhado que podia ter morrido. Mas em pouco tempo peguei o jeito da coisa e, na verdade, comecei a gostar daquilo.

Depois de duas ou três danças ela sorriu para mim e disse:

— Obrigada, Robert. Tentaremos de novo em outra oportunidade! — Em seguida se afastou e saiu dançando com outro rapaz.

Resolvi que teria a atenção dela novamente antes que ficasse muito tarde. Estava claro que minha habilidade de dançarino não a fascinara, por isso achei que deveria representar o papel de machão. Quando a dança parou, aproximei-me dela e disse:

— Ei, Joyce, que tal ir comigo ao Hotel Lord Milner e tomar alguma coisa?

— Boa ideia. Uma coca-cola cairia bem — ela disse.

Fomos, então, à sala de estar do hotel, ali perto, e nos sentamos à mesa. Depois que Joyce pediu sua coca-cola, resolvi impressioná-la pedindo algo mais forte para mim: "Eu quero um conhaque mentolado", falei ao garçom.

Aquele era o meu primeiro drinque, mas não seria o último. Com o passar do tempo minha amizade com Joyce foi ficando mais forte e passamos a nos encontrar com certa regularidade. Gostávamos de dançar e passear. De vez em quando eu tomava outra bebida, geralmente uma cerveja, embora Joyce nunca bebesse comigo.

Quando mamãe descobriu que eu andava bebendo, mesmo ocasionalmente, achou que era oportuno ter uma conversa franca comigo.

— Bob, não o proíbo de beber. Você tem idade bastante para saber o que faz. Mas tenha cuidado. Bebida em excesso é uma coisa terrível. Se você se tornasse um beberrão, faria meu coração em pedaços — ela disse solenemente.

Minha mãe sabia que não adiantava me proibir de beber. Sempre havia bebida alcoólica em casa por ocasião de nossas festas. Mamãe, embora "devota metodista", nada via de errado nisso. Na verdade, quase todo mundo da igreja tinha bebida alcoólica em casa.

No espaço de um ano eu estava bebendo mais frequentemente. E em um sábado à noite, voltei bêbado para casa. Quando mamãe me viu, começou a chorar.

— O que foi que eu disse a você? Não o adverti de que a bebida em excesso faria de você um tolo? — falou.

— Saia do meu caminho, estou me sentindo mal! — gritei e, cambaleando, passei por ela rumo ao banheiro.

— Você *devia* ficar doente, tomara que fique tão doente que nunca mais possa beber! — ela deixou escapar.

Vomitei tudo no banheiro e prometi deixar de beber. Atirei-me na cama, abracei o travesseiro e murmurei: "Joycinha, eu amo você". No dia seguinte tive uma dor de cabeça que durou o dia todo.

Três semanas depois, entretanto, voltei para casa bêbado de novo. Mamãe subiu pelas paredes.

— Bob, o que está acontecendo com você? Você não acha que já tenho problemas demais para aguentar mais esse que você está trazendo? — perguntou, irritada.

— Eu não estou prejudicando ninguém. Já tenho idade suficiente para fazer o que quero — respondi.

— Bob, você não percebe o que está fazendo? Pensa que Deus gosta da maneira como você está vivendo?

— Cale a boca! Deus nada tem com isto. — E me afastei em direção ao meu quarto.

— Vou orar por você. Só mesmo o bom Senhor pode ajudá-lo! — ela falou lá da sala. Mal sabia que teria de orar por mim por 16 anos!

Joyce e eu nos casamos em 1935. Eu tinha apenas 20 anos. A princípio vivemos felizes, e até reduzi a quantidade de bebida. Mas, pouco a pouco, fui ficando menos cauteloso. Em uma noite de sábado só voltei para casa às duas da madrugada. Quando finalmente entrei em casa, encontrei Joyce, com olhos vermelhos e inchados, esperando por mim.

— Bob, não estou zangada com você, mas *estou* um tanto desapontada — ela disse, calmamente.

— Você acha, querida, que eu deliberadamente desapontaria você? — eu disse, olhando-a com olhos sem expressão e babando pelos cantos da boca.

Com ar de descrença, ela me olhou fixamente por um momento. Depois escondeu o rosto entre os braços e começou a soluçar sem parar.

Na manhã seguinte ela me fez prometer deixar de beber: "Eu *prometo*", declarei. "Se o meu vício está fazendo você infeliz, então ponto final. Foi a última vez que bebi."

Pensei que era para valer, mas, no dia do pagamento, a velha sede voltou. "Vá lá", pensei comigo mesmo, "um drinque não vai fazer mal nenhum." Assim, antes de ir para casa, parei em um bar e pedi uma garrafa de cerveja. Dali para frente não estou muito certo acerca do que aconteceu. Tudo o que sei é que cheguei em casa por volta das três da madrugada. Novamente Joyce estava esperando por mim.

— Bob, o que você tem a dizer a respeito da promessa que me fez? — perguntou.

— *Que* promessa? A única promessa que fiz a você foi a de amar, honrar e proteger você até que a cerveja nos separe! — respondi; tão embriagado que não sabia o que estava dizendo.

As coisas começaram a piorar depois que Drummond nasceu. Mais e mais dinheiro era necessário para leite, alimento infantil e roupa. Embora eu tivesse um bom emprego naquela época, meu vício estava consumindo uma parcela cada vez maior do meu salário. Às sextas-feiras, à noite, eu parava no bar e bebia meu dinheiro; muitas vezes ficava tão bêbado que perdia os sentidos e caía no chão.

Joyce achava cada vez mais difícil ser paciente comigo. Raramente eu estava em casa; as contas iam-se amontoando, e eu não ligava. Tudo o que me importava era a garrafa.

Em uma quarta-feira à tarde, Joyce me disse:

— Bob, o aluguel está dois meses atrasado. O proprietário quer saber quando você pretende pagar.

Sem abaixar o jornal que estava lendo, respondi despreocupadamente:

— Pagarei quando estiver em condições e disposto.

— Bob, você não pode continuar agindo dessa maneira! O proprietário vai nos colocar para fora se não pagarmos — ela advertiu.

— Para fora? Ele e quem mais? — zombei.

— Ele e o magistrado, quem mais?

— Deixe que eles tentem, se são bastante bons para isso!

Dessa vez Joyce não conseguiu conter sua raiva. Caminhou até o lugar onde eu estava sentado e arrancou o jornal de diante do meu rosto.

— Seu bobo! Você só pensa na bebida! Será que ter constituído uma família não representa *nada* para você? Será que você é capaz de pensar em *alguém* mais que não seja *você mesmo*? — desabafou.

Levantei-me de um salto e dei-lhe um sopapo no rosto.

— Vou ensinar a você como falar com seu marido! — estrilei. A seguir, virando nos calcanhares, caminhei para a porta de saída, mas ainda gritei para dentro:

— Diga àquele demônio do proprietário que ele receberá seu dinheiro no sábado! — Fechei a porta com violência e fui para o bar.

Naquela noite, diante de um copo de cerveja, pensei um pouco. As coisas haviam mudado muito desde que Joyce e eu nos casamos. Eu podia sentir como minha insensatez a havia amargurado. Querida Joyce! Lembrei-me de como ela estava linda na noite em que a vi pela primeira vez. Lembrei-me do suave aroma do perfume que ela usava na ocasião. Esvaziei meu copo e fiquei ali, sentado, revivendo por alguns instantes aquelas reminiscências. "Bem", concluí, "vou ter de parar *algum dia*, bem que poderia ser hoje".

— Uma última cerveja! — ordenei ao garçom. Ele sorriu e colocou um novo copo diante de mim. Bebi e, cambaleando, rumei para casa.

Quando a tarde de sexta-feira chegou, eu já havia decidido que a primeira coisa a pagar com o meu salário seria o aluguel. "Não posso adiar mais", resmunguei para mim mesmo, "já está muito atrasado".

Minha determinação se manteve firme até que passei pelo bar. Logo que o aroma da cerveja alcançou minhas narinas, percebi que a coisa não seria fácil. Um quarteirão depois do bar acreditei que havia vencido a batalha.

No entanto, à medida que caminhava, mais eu pensava em como seria bom tomar uma cerveja gelada. Eu podia ver a espuma escorrendo por fora do copo. Podia sentir as frias goladas da loira gelada descendo pela minha garganta ressequida. Minha imaginação estava disparada. Eu me via bebendo um copo atrás do outro. Mais depressa e mais depressa e mais depressa. "Meu Deus!", gritei, "não consigo me dominar!". Dei meia-volta, *corri* para o bar e acabei pedindo *duas* cervejas. Apaguei duas vezes antes de ir embora. Por fim, o garçom falou: "Tommy, é melhor você ir para casa. São quase três horas da madrugada".

Joyce estava me esperando quando entrei cambaleante.

— Seu mentiroso. Como pude ser tão tola a ponto de acreditar em *você*?! Você e suas promessas vazias de pagar o aluguel — ela esbravejou.

Cerrei os punhos e fitei-a por um momento, meio cambaleante.

— Mulher, ninguém fala comigo dessa maneira e fica assim mesmo! — disse, quase com os dentes cerrados.

— Continue e me bata, seu bêbado estúpido! Também posso jogar esse jogo! — ela revidou, levantando os punhos e zombando de mim.

Seus olhos faiscavam de raiva. Os nós de seus dedos estavam brancos. Alcancei-a e dei-lhe um empurrão que a fez estatelar-se num canto.

— Sua galinha pateta! Eu devia pôr duas manchas ao redor de seus olhos! — vociferei. A essa altura o pequeno Drummond acordara e chorava.

Rápida como um relâmpago, ela se pôs de pé.

— Seu ordinário! Sempre achei que você não prestava! Já não aguento mais seus pileques e sua bebedeira! Para mim chega! — prorrompeu. Ela encolheu os braços e, quando os distendeu, seus punhos alcançaram meu queixo com um estalo. Depois outro. E outro. Caí no chão.

Por um momento fiquei ali em silêncio. Depois, sem dizer uma palavra, levantei-me e me tranquei no quarto. Sentia-me nauseado. Tentei deitar-me, mas, a cada minuto, ficava pior, mais enjoado. Então, não consegui mais me segurar e vomitei ali mesmo sobre a colcha. Quando acabei, arranquei a colcha, enrolei-a como uma bola, atirei-a para um canto e deixei-me cair sobre a cama num estupor alcoólico. Antes de mergulhar no sono, prometi a mim mesmo que nunca mais tocaria em uma gota de álcool.

No dia seguinte, porém, às seis horas da manhã, pesquei uma garrafa de vinho de debaixo da cama e a esvaziei antes de me levantar.

3
Um beberrão na Terra Santa

De alguma forma conseguimos conservar nosso lar até que, em 1940, estourou a guerra. Por esse tempo Lionel já era nascido e Joyce esperava nosso terceiro filho. Como conseguimos sobreviver durante os anos que precederam a guerra, jamais saberei. A minha conta do bar era maior que a do armazém, mas nunca passamos fome. Alguns dos amigos de Joyce, que conheciam o meu problema com a bebida, ajudavam com alimentos e roupas, e assim seguimos vivendo.

Logo que tomei conhecimento da guerra, resolvi alistar-me no exército. Vi que não podia sustentar meu vício e minha família ao mesmo tempo. Eu já andava cansado das contas e dos encargos da vida familiar, e esta saída parecia uma excelente válvula de escape.

Quando informei a Joyce a minha decisão, notei um leve tom de alívio em sua voz. Provavelmente ela se sentia contente por libertar-se de mim.

Dois meses depois de me alistar no Exército Sul-Africano, nosso terceiro filho nasceu. Joyce deu-lhe o nome de Roy. Fui visitá-la em casa, mas, como estava bêbado a maior parte do tempo da licença militar, a visita pouco significou para qualquer um de nós. Depois do treinamento básico, nossa unidade foi enviada para os desertos do Egito ao norte. Alguns companheiros estavam muito preocupados com o risco de serem mortos. Minha preocupação, no entanto, era quanto à possibilidade de conseguir bastante bebida em pleno deserto.

Minhas preocupações não eram infundadas. Logo no primeiro contato com o deserto, verificamos que não havia nenhuma espécie de facilidade — nenhum rancho, nenhum alojamento para oficiais, nenhum lugar onde comprar bebida. Éramos 16 mil em nossa unidade, e a missão era estabelecer um acampamento em El Kantara. Quando tomaram conhecimento da situação, muitos soldados começaram a queixar-se por não haver bebida.

De repente um deles disse:

— Só existe um homem que pode achar bebida para nós.

— Thom! — gritaram todos.

— Certo! Thom é o nosso homem!

Assim, naquela noite, fui empurrado para o deserto.

— Você vai achar bebida, não vai, Tommy?

— Vou fazer o demo do possível — respondi.

Por um momento ali fiquei tentando imaginar o que fazer. Subitamente eu disse aos outros: — Vocês veem aquela luz lá longe? Vamos até ela!

Quando chegamos, constatamos que a luz provinha de um posto avançado canadense. Comecei a farejar por ali enquanto os outros homens entretinham os oficiais com conversa. Não demorei muito a descobrir caixas e caixas de cerveja canadense escondidas em uma cova debaixo da cama do oficial!

— Ei, rapazes! Vejam o que encontrei! Cerveja! — gritei.

— Oba! — eles gritaram e se atropelaram em busca do tesouro que eu havia achado. Empurramos a cama para um lado e começamos a nos servir, enquanto os canadenses, sem nada poder fazer, nos observavam sorver toda a sua cerveja!

— O que foi que eu disse? Se alguém é capaz de encontrar bebida, esse alguém é Tommy. Ele tem faro pra isso! — um dos rapazes desafiou.

E era verdade. Parecia haver um demônio me guiando, porque eu era capaz de achar bebida em qualquer lugar.

De vez em quando eu escrevia para Joyce, mas sem muito envolvimento. Eu sabia que ela se sentia melhor sem a minha presença por perto, e me doía pensar assim, mas era dessa maneira que as coisas estavam. Eu havia determinado ao pagador-chefe do exército que enviasse a ela a metade do meu soldo. Eu sabia que ela precisava de mais do que isso, mas eu também tinha as minhas "despesas", por isso ela precisava contentar-se com o que eu podia mandar-lhe.

Certa noite, depois de estarmos todos recolhidos às nossas tendas, fiquei ali deitado pensando na droga em que eu havia transformado a minha vida. Quando afinal adormeci, vi em sonho uma procissão de pessoas desfilando diante de mim. A irmã Emily Dunn era a primeira, sacudindo seu dedo em minha direção e dizendo: "Que vergonha! Você não sabe que a Bíblia diz '...estejam certos de que vocês não escaparão do pecado cometido'"? Vi então o belo rosto de minha mãe dizendo: "Bobbie, você sabe que seu pai e eu sempre quisemos um ministro na família". Surgiu também o jovem seminarista dizendo: "Deus realmente ama você!". Por fim, vi o rosto lacrimoso de Joyce dizendo: "Bob, o que você tem a dizer a respeito da promessa que me fez?".

Acordei suando frio e com o coração batendo forte. "Deus", falei no escuro, "não sei o que está acontecendo comigo. Acho que o Senhor e eu nada mais temos em comum...". Virei-me e tentei pegar no sono de novo. Mas não conseguia expulsar aqueles pensamentos malucos de minha cabeça; então me levantei, encontrei uma garrafa de cerveja que eu havia escondido e, com seu conteúdo, me consolei até voltar a dormir.

Na manhã seguinte, notei o cabo Williams lendo o Novo Testamento. Aquele era um camarada que realmente me aborrecia. Toda manhã eu o via ali sentado no seu beliche lendo a Bíblia.

— Olhem só para aquele doce metodistazinho! Ele está fazendo uma escolinha dominical particular! — gritei bem alto para que todo mundo ouvisse.

Todos os outros me apoiaram, fazendo algazarra, dando risadas e batendo os pés. Mas Williams continuava sua leitura. Ele já estava acostumado com minha impiedosa gozação. Intimamente, porém, eu admirava sua alegria tranquila e seu sorriso sereno. E isso me fazia querer saber qual segredo o tornava assim tão lívido.

Poucas semanas depois, obtive uma licença de dez dias. Resolvi viajar de carona para a Terra Santa e visitar rapidamente os pontos mais importantes. Imaginem! Um beberrão como eu — na Terra Santa! Era uma ideia maluca, mas não seriam mais que 10 ou 12 horas de viagem, e eu poderia conhecer alguns dos lugares que havíamos estudado no orfanato.

Consegui um companheiro chamado George Bancroft para viajar comigo. George era católico romano e achei que estaria interessado em ver as "paisagens santas" também.

Não era difícil para os soldados conseguir carona; não demorou muito e um camarada polonês parou e nos pegou. George saltou para o banco traseiro enquanto eu me assentava ao lado do motorista.

— Vamos a Jerusalém. É para lá que você vai? — eu disse ao motorista.

— Ótimo, certo — ele disse, abrindo-se num largo sorriso.

— Muito bem! Meu nome é Thom, e este aqui é meu parceiro Bancroft — eu disse, tentando começar um bate-papo.

— Ótimo, certo — ele replicou.

— Conseguimos uma licença de dez dias, e Bancroft e eu achamos que dar uma olhada nos lugares santos de Jerusalém seria uma excelente maneira de usar essas férias. Planejamos ir a Belém e dar uma volta pelos arredores. Deve ser uma viagem linda, não acha?

— Ótimo, certo — ele respondeu, acompanhando as palavras com uma concordância com a cabeça.

Bancroft e eu explodimos em gargalhadas. O motorista olhou para nós e achou que devia ter dito uma boa piada e acabou caindo na risada. Levamos dez horas seguidas de viagem para alcançar Jerusalém. E desistindo de puxar conversa com um polonês que não sabia dizer nada em inglês, senão "Ótimo, certo", fumamos um cigarro atrás do outro. Quando Bancroft e eu descemos do carro, agradecemos ao nosso amigo a sua gentileza. "Ótimo, certo!", ele respondeu enquanto acenava e ia embora.

— Bancroft, se você alguma vez mencionar as palavras "ótimo, certo" para mim, ficaremos de relações cortadas! — falei.

Pegamos nossas sacolas e saímos à procura de um lugar onde pudéssemos tomar um drinque. Por fim localizamos o Bar Vienna, entramos e consumimos nossa dose de vodca. Podíamos beber muitas mais, mas eu não queria embebedar-me na Cidade Santa, por isso parei na primeira e única dose.

Lá pelo meio-dia fomos ao Jardim do Getsêmani, lugar onde Jesus tantas vezes orou. Poucos turistas estavam ali naquele dia, embora fosse um dia perfeito para visita. Jamais esquecerei a estranha sensação que se apossou de mim à medida que eu caminhava por entre as sombras do Jardim.

— Vou entrar na igreja. Quer vir comigo? — disse Bancroft.

— Não, obrigado. Acho que fico aqui fora mesmo — respondi. Então Bancroft entrou na igreja franciscana, e eu fiquei sozinho.

Resolvi caminhar pelas veredas que circundavam as ancestrais oliveiras. Algumas vezes parava e fitava aquelas estranhas e velhas árvores. Os troncos eram grossos e retorcidos, como vigorosos soldados envelhecidos que se recusaram a morrer. Por mais velhas que fossem, ainda sustentavam impressionante quantidade de galhos que ensombravam os caminhos. O sol dourado se filtrava por entre a folhagem verde-acinzentada. Não se ouvia som algum, a não ser o leve roçar das folhas.

Enquanto permanecia na quietude daquele lugar, senti a presença de um Homem junto a mim. Por um momento fiquei atemorizado. Queria olhar para ele, mas tinha medo de que desaparecesse de minha vista. Mas eu sabia quem era. Era a mesma presença divina que eu sentira, anos atrás, no orfanato. O poder que dele se irradiava era por demais familiar. Ele não disse uma só palavra, mas eu estava profundamente consciente de sua presença. Meu corpo inteiro tremia e meus olhos estavam cheios de lágrimas.

Quando Bancroft saiu da igreja, senti-me um tanto embaraçado por causa dos meus olhos molhados e desejei que ele não os notasse. Felizmente não notou.

Demoramos no jardim um pouco mais do que havíamos planejado, por isso tivemos de rumar depressa para o Calvário e para o túmulo no jardim. A presença divina que eu sentira debaixo das oliveiras continuou a me acompanhar, apesar de nossa pressa.

Mais à tarde, conseguimos carona para vencer os oito quilômetros até Belém, graças à camaradagem do pessoal de um caminhão do Exército. Queríamos ver a Igreja da Natividade, que supostamente está construída no lugar onde Jesus nasceu.

Nosso guia disse que aquela era a igreja mais antiga da cristandade. Não fosse pelos três campanários, ela se parecia mais com um complexo de estruturas militares fortificadas. As paredes de pedra cinzenta eram altas e enrugadas, com janelas muito pequenas.

Naquele dia até que havia um bom número de turistas por lá. Antes que nos permitissem entrar na igreja, tivemos de comprar uma vela. Elas eram vendidas ao preço de dez centavos cada uma.

Em seguida, o guia nos levou a uma abertura muito pequena na parede, que não ultrapassava 1,30m de altura.

— Esta é a entrada da igreja. Vocês terão de firmar-se nas mãos e nos joelhos para poderem entrar. — disse o guia. Então, ele se pôs de quatro e engatinhou igreja adentro, com Bancroft e eu logo atrás.

Uma vez lá dentro, comentei com o guia:

— Isto é estranho. Por que é preciso ficar de quatro para entrar nesta igreja?

— Ah, até o rei da Inglaterra tem de dobrar os joelhos para entrar no lugar onde nasceu o Rei dos reis! — ele explicou com um piscar de olhos.

— Sim, mas qual é a *verdadeira* explicação?

— Foram os Cruzados. Ouça. Quando a igreja foi construída, a porta originalmente media seis metros de altura. Foi feita assim para que os guerreiros montados pudessem entrar com facilidade. Mas uma porta tão alta se revelou um sério problema na defesa da igreja ante os atacantes; por isso, posteriormente a altura foi rebaixada de modo que se pudesse defender o edifício mais facilmente — disse o guia.

— E essa é a *verdadeira* explicação?

— Digamos que é *uma* explicação. Nós, cristãos de Belém, ainda cremos que Deus pôs sua mão na disposição da entrada desta igreja para que todo o joelho tenha de se dobrar ao passar por ela.

— Talvez seja assim — repliquei, duvidoso, enquanto atravessávamos o vestíbulo.

Entramos, a seguir, em uma elegante basílica com cinco naves laterais e colunatas em ambos os lados. Andamos até a fachada da basílica, atravessamos uma porta, descemos um lance de escadas e chegamos ao lugar onde Jesus nasceu. Enquanto esperávamos em fila para nos ajoelharmos diante da estrela de bronze que, no chão, como se supõe, assinala o ponto exato de seu nascimento, notei que um homem à nossa frente usava um uniforme da Força Aérea Britânica. Quando ajoelhou-se à direita da estrela, com a vela na mão, aquele cabo grandalhão começou a chorar e a orar como criança. No meio do silêncio do ambiente, podíamos ouvir cada palavra de sua oração. "Eu te dou graças, Senhor, porque desceste a esta manjedoura para nascer por mim", disse. "Graças te dou, Senhor, porque salvaste minha alma!" E ajoelhado ali, o homem não se envergonhava de chorar diante de todos.

De novo, senti a mesma presença me envolvendo. Ver aquele enorme soldado chorando daquele jeito era mais do que eu poderia suportar. Virei-me em direção à saída. No momento em que começava a subir a escada, um barbudo sacerdote grego-ortodoxo se dirigiu a mim, pôs as mãos sobre meus ombros e orou: "Que a alma deste peregrino seja salva em nome de Jesus, isso custa um *shilling*, amém".

Paguei o *shilling*, achando certa graça, e fiz uma oração silenciosa pedindo a Deus que atendesse ao pedido do sacerdote. Tive certeza de que Deus estava tentando dizer-me algo.

Alguns dias depois, Bancroft e eu regressamos ao nosso acampamento militar no Egito. Chegamos lá por volta das cinco da tarde, quando as cantinas estavam abrindo e grupos de companheiros se dirigiam a elas em busca de bebida. Fiquei parado ali por uns minutos, meus olhos perscrutando ansiosamente a multidão à procura de certo homem. De repente o localizei.

— Capelão, senhor! Capelão, preciso falar com o senhor! — gritei. Ele também estava indo para o bar em busca de uma bebida.

— Sim, de que se trata? — ele atendeu, um tanto impaciente.

— Senhor, acabo de chegar de Jerusalém e não sei o que está acontecendo comigo. Não consigo praguejar, não consigo beber, não consigo fumar nem um cigarro! Estou precisando de auxílio! Preciso conversar com o senhor. Eu quero ser salvo!

Ele me examinou da cabeça aos pés por um momento e, em seguida, disse:

— Desculpe-me, soldado, estou muito ocupado. Falaremos em outra ocasião. — E lá se foi, cantina adentro, tomar seu drinque.

Minha vontade era gritar. Queria xingá-lo, mas não consegui. De fato, nas duas semanas seguintes, não pude tomar um gole ou acender um cigarro! Não pude nem mesmo ir ao cinema! Tudo o que eu conseguia fazer era pensar a respeito de Jesus! Continuei procurando alguma leitura que me orientasse sobre como ser salvo. Acabei encontrando uma tradução moderna das cartas de Paulo. E como gostei de ler aquele livro! Era tal qual um gole de água fria no meio do deserto. Embora não compreendesse tudo naquela leitura, senti que estava no caminho certo.

Meus parceiros de copo não conseguiam entender o que havia acontecido comigo.

— Ei, Tommy, *venha*, vamos tomar um *drinque*! — diziam.

— Obrigado, mas eu deixei a bebida! — respondia.

— Homem, o que está acontecendo? Você sempre bebeu conosco. Ganhou na loteria ou algo parecido? — eles insistiam.

— Talvez esta vida danada do deserto o esteja perturbando — outro sugeriu.

— É isso aí, e sabem quem será o próximo nesse embalo? EU! — disse outro.

— Esperem um minuto, rapazes. Posso explicar tudo se vocês quiserem ouvir — pedi.

— Muito bem, pessoal, todos juntos aqui; vamos ouvir um doido explicar por que está maluco! — um deles convocou.

— Vocês vão ficar quietos? — perguntei, já impaciente.

— Está bem, homem, está bem! Somos todos ouvidos.

— Tudo começou quando Bancroft e eu fizemos aquela viagem à Terra Santa...

— Oba, aí vem, rapazes! O que eu disse a vocês? — um deles interrompeu e começou a cantar em falsete o hino *Rude Cruz*, com voz alta e esganiçada.

— Cale a boca, sim? — alguém ralhou.

— Sim, isso nós queremos ouvir! — os outros disseram em coro.

Quando acabei minha história, todos riram e gritaram e me socaram nas costas.

— Amém, irmão! Você voltou à religião dos velhos tempos! — um berrou.

— Louvai ao Senhor e passai a cerveja!

— Ei, doçura, que tal um uísque com soda?

— Aleluia! Este homem está SALVO!

— Hurra!

Eu estava tão zangado que seria capaz de mastigar pregos. A cotoveladas, abri caminho através do círculo de camaradas que riam ao meu redor e me dirigi à cantina. "Vou mostrar a esses idiotas que eu sou capaz de consumir mais cerveja que *qualquer* um deles", disse para mim mesmo.

Todavia, quando cheguei à entrada, não consegui entrar. Não posso explicar por quê; só sei que não consegui...

4
Mudança para pior

Alguns dias depois nos deslocamos do Egito para o cenário europeu de guerra, na Itália. Isso foi em 1943. Desembarcamos primeiro em Tarento e depois cruzamos a península rumo a Nápoles. Dali, na retaguarda das forças norte-americanas e inglesas, fomos para Roma, onde ocupamos algumas fábricas e passamos a produzir suprimentos necessários às forças aliadas.

Durante todo o tempo em que estive em Roma, andei sempre com o coração voltado para Deus. Toda vez que os bombardeiros alemães voavam baixo sobre nossas barracas, eu sentia como minha vida podia ser extinta. A qualquer momento, de dia ou de noite, os alemães podiam lançar sobre nós um bombardeio em massa e seríamos soprados para a eternidade. Por isso, nos fins de semana, comecei a buscar Deus em muitas das maiores igrejas de Roma. As coisas, porém, eram desencorajadoras. Não importava para onde eu olhasse, Deus parecia estar muito longe.

Um dia, já um tanto desesperado, fui ao Vaticano e orei na Catedral de São Pedro. "Com certeza encontrarei Deus *aqui*", pensei. Mas nada aconteceu.

Entretanto, ao sair da igreja, fui detido por uma jovem mulher de cabelos pretos, com um bebê no colo.

— Ei, soldado, você ajudaria uma pobre viúva de guerra? — ela chamou, puxando-me pelo cotovelo.

— Certamente, senhora. O que posso fazer por você?

Ela se encostou em mim e cochichou no meu ouvido:

— Você poderia vir à minha casa e dormir comigo esta noite? Eu durmo com você toda a noite bem barato!

— Sabe, senhora, já tenho muitos problemas. Você deveria estar envergonhada de si própria! — disse aborrecido, afastando-me dela.

— Desculpe, soldado. Eu não tenho outros meios de ganhar dinheiro! Meu bebê está com fome. Ninguém liga. Meu marido está morto. Minha família não me ajuda.

— Certo, mas e a igreja? Eles deveriam ajudá-la. A que igreja você pertence?

— Igreja? Eu frequento esta igreja!

— A de São Pedro?

— Sim.

— E você não pode obter auxílio deles?

— Não, soldado. Eles não ajudam lixo como eu.

— Macacos me mordam. Se isso é Deus, então não quero conhecê-lo! — Dei alguns dólares à mulher e desci a rua, bastante desanimado. "Estas igrejas do Demônio!", disse a mim mesmo. "São todas iguais. São exatamente como aquele pessoal do orfanato: *falam* de amor, mas não *têm* amor algum!"

Quanto mais pensava no assunto, mais desgostoso me sentia. Eu havia percorrido Roma inteira à procura de Deus, e o que havia conseguido? Nada, a não ser pés doloridos e decepção. Deus? *Ele* se importava? Cheguei a duvidar de que ele ao menos soubesse de minha existência.

Em meu desalento, a antiga sede da bebida começou a voltar. O que mais poderia eu procurar? Eu não podia perceber razão alguma para privar-me de um bom drinque.

A bebida era escassa durante os anos de guerra, mas alguns de meus amigos me haviam falado de um fazendeiro que possuía uma destilaria nos arredores de Roma. No domingo seguinte, à tarde, fui de carona até lá para ver se conseguia um gole.

Era uma fazenda de criação de porcos. O ar era pesado, com o mau cheiro de estrume e restos de comida em decomposição. Caminhando até o celeiro onde o fazendeiro trabalhava em uma velha carroça, perguntei:

— Ei, ouvi dizer que você tem vinho. É verdade?

Sem levantar os olhos do serviço, ele respondeu:

— Sim. Tinto e branco. Trouxe dinheiro?

— Claro. Quanto você cobra para encher o cantil?

— Dois dólares.

— O quê?! Você está ganhando dinheiro, não está?

— Pague ou vá embora.

— Eu pago.

Dei-lhe o dinheiro, e ele me levou para trás do celeiro, depois descemos para um pequeno quarto.

— Qual prefere, tinto ou branco? — perguntou.

— Tinto.

Com o cantil cheio, saí e me encostei na cerca quebrada em volta da pocilga, sorvendo vagarosamente o vinho morno enquanto observava os porcos nas poças de lama. Um dos porcos se aproximou e atravessou a cerca com o focinho úmido e gotejante para me cheirar.

— Fora daqui, seu porco estúpido! — berrei, dando um ponta-pé na cerca.

Tendo esvaziado o cantil, mandei enchê-lo de novo, agora com vinho branco "para a estrada" e, novamente de carona, voltei a Roma, mais bêbado do que eu estivera havia muito tempo. Enquanto permaneci em Roma, frequentei a fazenda todos os domingos.

Finalmente, em 1945, a guerra terminou. E em seis dias, fui informado de que o Exército tinha um emprego magnífico esperando por mim na África do Sul, devido à minha excelente atuação durante a guerra. Por isso voei da Itália com uma passagem *VIP*. Foi bom voltar à Cidade do Cabo. Deram-me 30 dias de dispensa antes de assumir meu novo posto, e assim tive algum tempo para passar com Joyce e as crianças. Embora soubesse que não podia viver sem a bebida, cheguei a alimentar a esperança de que talvez as coisas ficassem melhores entre mim e Joyce, depois de seis anos no serviço militar.

E ficaram. Eu não conseguia compreender a princípio. Joyce parecia despreocupada e feliz. As velhas tensões haviam desaparecido. Ela nem mesmo pareceu importar-se quando, naquela primeira sexta-feira à noite, saí de casa e me embriaguei. Mas o mistério de repente se desvendou, na noite em que a peguei na cozinha com uma garrafa de cerveja na mão.

— Joyce! Que diabos você está fazendo? — berrei.

— Oh, ainda não lhe disse? Descobri um novo passatempo — ela replicou, com um sorriso malicioso.

Ali fiquei, paralisado pela descrença, quando minha mulher pegou dois copos do guarda-louça com toda a calma, esvaziou neles o conteúdo da garrafa e me entregou um deles.

— Tome, você parece estar precisando de um bom drinque — ela disse.

Peguei com hesitação o copo que ela me deu e me sentei à mesa da cozinha.

— Está querendo me dizer que *você* tem bebido ultimamente? — perguntei.

— O que lhe parece, soldado? — ela replicou enquanto sorvia a espuma que transbordava do seu copo.

— Espere aí. Mulher minha não vai tomar essa beberagem!

— É? Não vejo por que não. Se *você* pode beber, por que *eu* não posso? — ela retrucou com certa aspereza.

Eu não podia acreditar. Minha mulher! Bebendo! Era uma mudança para pior!

Alguns dias depois, entretanto, comecei a me acostumar com a ideia e passamos a receber caixas de bebidas em casa. Agora, além de sair com os companheiros nas noites de sexta-feira e sábado, eu podia beber a qualquer hora que quisesse. E foi isso o que comecei a fazer. Passava bêbado a maior parte do tempo, e Joyce se embriagava comigo algumas vezes. Cheguei a tal ponto que não aguentava ficar mais do que algumas poucas horas sem beber. Eu precisava de um drinque logo de manhã. Também no almoço. E no jantar. Não ligava para comida. Tudo o que eu queria era uma boa bebida e bem forte.

Ao fim dos 30 dias, eu estava empregado no Corpo de Desmobilização na Cidade do Cabo, dispensando os rapazes do serviço militar. Havia enorme avalancha de camaradas que esperavam subsídios como incapacitados e bolsas de estudo para se matricularem em universidades. Apesar do meu problema com a bebida, dei conta do recado e, em três semanas, estava tudo resolvido.

Meus oficiais superiores estavam a par do meu problema com a bebida e queriam despedir-me. De fato, no dia em que o médico do exército me examinou com vistas à dispensa, eu estava bêbado. Terminado o exame, ele disse aos oficiais:

— Se este homem for dispensado, seus filhos morrerão de fome e de forma alguma ele conseguirá emprego em outro lugar.

— É provável, mas seis anos no exército é tempo demais — um dos oficiais replicou.

Eu discordei. Se meu tempo no exército havia esgotado, achei que era melhor unir-me à marinha. Eu sabia que poderia conseguir um mundo de bebida barata estando em serviço na marinha, o que era muito mais do que eu jamais conseguiria na vida civil. Assim, às 11h59 de 1º de julho de 1946, fui desligado do exército e, dois minutos depois, me tornei, oficialmente, um marinheiro da Marinha Sul-Africana.

Por meu registro de desempenho no exército, ganhei seis promoções no primeiro dia na Marinha! E, por causa de minha experiência em contabilidade na Companhia de Elevadores Otis, eles acharam que tinham uma função que demandava minha habilidade: todas as contas de guerra da Marinha deveriam ser regularizadas com vistas à conversão para o tempo de paz. Com o objetivo de cumprir essa tarefa, fui designado para o H.M.S. Bon 1, na Base Naval da Cidade do Cabo, o que me permitia viver em casa com minha família.

Durante aqueles dias segui o mesmo velho círculo vicioso. Embebedando-me como um louco, vivendo para o Diabo, sem tempo para Deus, sem tempo para a igreja. Mesmo assim, eu pretendia ser um bom metodista! O médico da Marinha me examinou certo dia e me disse que eu bebera tanto que a bebida havia destruído um de meus rins. Mais tarde descobri que ele dissera isso apenas para me assustar e me fazer deixar de beber. Mas eu não conseguia parar. E não estava bebendo apenas em casa, voltara a frequentar os bares e com muita frequência. Parecia que eu estava fisgado para sempre.

5
A "doida" sra. Webster

Em 1947 começaram a acontecer coisas em minha família, muitas delas desconhecidas por mim a princípio. Uma ocorreu com Drummond, que estava com 7 anos de idade. Ele fora a uma celebração da páscoa na praia e se converteu.

Algumas semanas depois, Joyce resolveu ir à igreja no domingo. Ela também se sentiu tocada pela mensagem simples que ouviu, aceitou a Cristo como seu Salvador pessoal e abandonou a bebida e a vida de pecado. Mas eu não sabia de nada disso. Joyce estava com medo de me contar o que havia acontecido, e eu estava tão bêbado naquele domingo que não tinha condições de perceber nenhuma mudança em minha mulher.

Na segunda-feira de manhã, quando eu saía de casa para o serviço na base, Joyce me disse:

— Veja se você volta direto para casa hoje à noite; vamos jantar às seis horas.

— Certo. Seis em ponto — respondi.

O admirável é que eu realmente voltei para casa às seis naquela tarde! Joyce havia preparado um jantar de dar água na boca. Eu estava com fome, assentei-me à mesa com o restante da família e mergulhei de cabeça na comida. Ninguém falou muito, mas, a certa altura da refeição, olhei para Joyce. Lá estava ela, sentada, sorrindo para mim!

Durante fugazes segundos eu a vi como da primeira vez: seus olhos azuis cheios de amor, sua etérea disposição irradiando beleza e felicidade. Era como se ela tivesse voltado a ser o que fora no passado.

— Por que *você* está tão feliz? — perguntei.

— Oh, por nada em especial, acho. Eu me sinto bem esta noite — ela disse com certa hesitação.

— É bom *alguém* se sentir assim — observei, voltando ao meu prato.

Quando saí para o trabalho na manhã seguinte, ela disse:

— Lembre-se de como foi bom ontem à noite; esteja em casa hoje, outra vez, às seis.

— Aqui estarei — prometi.

No entanto, eu estava começando a me sentir um pouco "seco", por isso resolvi dar uma paradinha no bar do hotel, apenas por alguns minutos, antes de ir para casa naquela tarde. Pedi um copo de cerveja e um conhaque duplo, suguei a espuma do copo e misturei à cerveja metade do conhaque. Depois de umas duas cervejas, comecei a discutir com alguns fregueses a respeito de quem era o maior lutador de boxe do mundo. Quando cheguei em casa, já eram sete horas. Pude perceber, ao ver a mesa, que os demais já haviam jantado.

— Tentei conservar quente sua comida. Receio que não esteja tão gostosa... — disse Joyce, tirando alguma coisa do forno.

— Está tudo bem. Não estou com muita fome hoje — respondi com a língua pastosa.

Tentei comer a deliciosa comida que ela pôs diante de mim, mas não consegui engoli-la. Joyce fez tudo para mostrar-se alegre, mas, comigo meio bêbado, não conseguiu sucesso algum.

Na quarta-feira de manhã, ela nada me falou acerca de voltar para casa na hora certa. Novamente, dei minha paradinha no bar. Cheguei em casa às 20h30.

— A comida está fria. Você quer que esquente algo? — disse aborrecida.

— Não, não estou com fome — respondi. Essa foi toda a nossa conversa naquele resto de noite.

Na quinta-feira cheguei em casa às dez da noite. As crianças já estavam na cama. Eu estava muito bêbado e fui direto para o quarto, deixando Joyce sentada sozinha na sala.

Na sexta-feira não voltei para casa. Bebi uma cerveja atrás da outra até às sete horas da manhã. A essa altura, de tão bêbado eu não sabia o que estava fazendo. Tinha certeza de que não conseguiria alcançar minha casa, por isso pedi ao garçom encarregado do bar que me arranjasse um quarto no hotel. Vendo minhas péssimas condições, respondeu que havia um quarto vago no extremo da sala e que eu o ocupasse.

Saí cambaleando por uma porta e desci para a sala anexa. Estava tonto e vacilava no caminhar. A sala parecia ter dois quilômetros de comprimento. Eu sabia que não conseguiria atravessá-la, por isso passei sem firmeza pelo alojamento da empregada negra e entrei na primeira porta aberta; atirei-me na cama e apaguei.

Quando despertei na manhã seguinte, minhas roupas estavam cobertas de penas de galinha! Aqueles detestáveis colchões de penas! Elas estavam sempre saindo através do forro e das costuras. Mas eu me sentia muito mal para me importar com algumas penas. Deixei o quarto e, prestes a cair no chão, dirigi-me ao bar; pedi outra cerveja, paguei a bebida e o quarto e me sentei ali durante uns 15 minutos tentando acordar de vez.

Cheguei em casa na manhã de sábado no momento em que Joyce estava se levantando. Eu não tinha a menor ideia de que horas eram. Joyce olhou espantada para as penas que me cobriam.

— Onde *você* esteve?

— Eu apaguei — respondi, evitando falar do colchão. Fui para o quarto, tirei o uniforme, pendurei-o ao lado da cama, vesti o pijama e rastejei para debaixo dos cobertores. O travesseiro macio me fez bem. Minha cabeça estava estourando, mas algumas horas de sono, pensava eu, me curariam. Sorri e fechei os olhos.

O despertador disparou dois minutos depois. Era hora de levantar e ir trabalhar! Empurrei os cobertores, tirei o pijama, catei as penas do meu uniforme, vesti-me e saí correndo para os estaleiros.

Ao meio-dia, li no jornal que uma empregada negra havia sido estrangulada com um pedaço de arame em seu próprio quarto durante a noite de sexta-feira no mesmo hotel em que eu dormira. Tentei lembrar alguma agitação ou gritaria que porventura tivesse ouvido. Mas minha memória era como uma folha de papel em branco. Tudo o que eu recordava era de ter passado cambaleante pelo quarto da empregada no momento em que eu estava prestes a apagar.

A notícia dizia que as autoridades estavam à procura do suspeito do assassinato. De repente despertei para um ponto importante: ter estado no mesmo edifício me tornava *automaticamente* um suspeito! O pensamento de talvez vir a ser interrogado pela polícia me deixou apavorado. Se eu tivesse algumas respostas que fizessem sentido, não seria tão mau; mas, bêbado como estava, nada guardara na memória. "Por que você está se preocupando?", perguntei a mim mesmo, "diga-lhes apenas que você estava doente e não se recorda de coisa alguma relacionada ao assunto".

Aliviado, sorri para mim mesmo por um momento. Mas então outro pensamento, vindo não sei de onde, repontou na minha mente: "Quem garante que não foi *você* quem cometeu o crime? Você estava apagado, lembra? Seu estado era de total irresponsabilidade. Durante a noite, você poderia ter feito muita coisa. E, se o interrogarem nesse sentido, como provar que *você não fez nada*?"

Comecei a suar. Li e reli a notícia. A tarde inteira aquilo ficou pesando em minha mente. "*Sou um assassino?*", continuei perguntando a mim mesmo. Toda vez que ouvia passos atrás de mim, eu me assustava, pensando que poderia ser a polícia.

A semana seguinte inteira eu vivi apavorado. Noite após noite sonhava com criaturas diabólicas apontando-me os dedos descarnados e gritando: "Assassino! Assassino! Robert Thom é um assassino!". E em seguida riam com sinistras gargalhadas. De vez em quando, eu acordava banhado em suor e pedia a Deus que me livrasse daqueles malditos pesadelos.

Tentei afogar minha ansiedade na bebida, mas foi em vão. A qualquer momento a polícia podia bater à minha porta. Passei cada tarde daquela semana no bar.

No sábado só trabalhei meio dia e voltei para casa como sempre: bêbado. Joyce e o bebê não estavam em casa. Ela havia deixado um bilhete para Drummond. Eu o abri e li a breve mensagem:

> Desculpe; não posso continuar aqui. Por favor, tome conta das outras crianças para mim. Há rosbife e batatas na geladeira. Eu amo você.
>
> Mamãe.

Tivemos um almoço silencioso naquele dia, quebrado apenas pelas crianças perguntando onde mamãe estava.

— Ela precisou sair. Ela voltará — expliquei. Sentindo um nó na garganta, eu nada podia comer.

Depois que os pequenos acabaram de comer, mandei-os brincar na rua. Cortei nervosamente uma fatia de rosbife, peguei uma batata fria e fiquei ali diante da janela olhando, sem nada ver, para as altas montanhas atrás de nossa casa.

Pensei que fosse ficar louco. Parecia que eu não tinha um só amigo no mundo. Provavelmente a polícia estava à minha procura. Eu estava dominado pela bebida e sem esperança de libertação. "Diabo! De que adianta viver? Estou liquidado!", falei comigo mesmo. Fiquei ali tentando imaginar de que modo eu podia acabar com tudo aquilo.

Justamente nesse momento alguém bateu na porta da frente. Quando a abri, deparei-me com uma senhora de meia-idade, usando um traje de lã e um chapéu muito ajustado à cabeça.

— Como vai? Você é Robert Thom? — ela perguntou.

— Sim, senhora. Em que posso servi-la?

— Chamo-me Gladys Webster — ela disse, passando por mim e entrando na sala. Ficamos frente a frente. — Sr. Thom, vim aqui para falar sobre Jesus.

— Jesus!? Ouça, mulher estúpida, eu não preciso de nenhuma lição de escola dominical! Tenho minha igreja, tenho minha Bíblia, sou metodista, e não preciso de nada, seja o que for que a senhora esteja vendendo! — gritei.

— Onde está sua Bíblia? — ela perguntou, ainda tentando sorrir bravamente.

— Está no fundo de minha saca de guerra onde a coloquei quando saí de Roma em 1945! Agora, vá para o inferno, fora da minha casa, antes que eu quebre seu pescoço!

Ela ficou assustada e disse, afastando-se rumo à porta:

— Está bem, sr. Thom, desculpe-me, eu não tinha a intenção de...

— Cale a boca! Saia já da minha propriedade! — berrei.

— Sim, senhor! — ela replicou no instante em que disparava de minha casa.

— E nunca mais volte aqui! — berrei.

Entrei em casa, feliz por ter-me livrado dela. "Esses fanáticos malucos!", murmurei para mim mesmo. "Não preciso de suas loucas religiões!"

No entanto, não muito depois de ter virado as costas, eu a ouvi caminhando de volta! Ela veio direto a mim, pôs seu dedo bem debaixo do meu nariz e começou a orar em uma língua que eu jamais ouvira. (Eu já ouvira algo acerca de pessoas que falam em “outras línguas”, e desconfiei que era isso o que ela estava fazendo.) Tentei esquivar-me e ir para o meu quarto, mas subitamente um poder invisível me dominou, e o acontecimento seguinte de que me lembro foi que eu estava de joelhos, orando, de mãos levantadas para o teto! Ouvi a mim mesmo dizendo: “Se há um Deus no céu, tenha misericórdia de mim, um *pecador*!” e comecei a chorar copiosamente.

Imediatamente a mulher bateu com a palma da mão na minha cabeça e começou a repreender o demônio que estava em mim. “Vós, diabos, saí dele!”, ela gritava. “Satanás, eu te *ordeno* que libertes este homem e o deixes livre, em nome de Jesus!”

Bem! Eu nunca havia experimentado tratamento igual *àquele* antes! Mas, à medida que ela orava, senti alguma coisa estranha acontecendo dentro de mim, “uma libertação”, “uma desocupação” de forças estranhas. Comecei a rir e a chorar ao mesmo tempo, enquanto a sra. Webster, ali, de pé, dizia em alta voz: “Louvado seja o Senhor! Graças, Jesus!”

Quando a emoção começou a declinar, a sra. Webster me pegou pelo braço e disse:

— Venha comigo, sr. Thom. Há alguém que o senhor precisa conhecer.

Pus-me de pé e segui com a sra. Webster. Ela me deu o braço e fomos andando pelas proximidades até a Missão da Fé Apostólica. O edifício estava vazio, a não ser por duas jovens que tocavam órgão.

— Onde está o pastor? — a sra. Webster perguntou.

— Ele só chegará mais tarde, irmã Webster — uma das jovens respondeu.

— Está bem, vamos esperar! — ela disse.

Eram por volta de três horas da tarde. As jovens recomeçaram a tocar órgão, e a primeira coisa que aconteceu comigo foi que elas me fizeram cantar. Havia muitos anos que eu não cantava um hino, mas, depois que comecei, não consegui parar. “Pus para fora" todos os cânticos que havia aprendido na escola dominical. Depois de cantar todos os hinos de que me lembrava, comecei de novo. Quando, afinal, o pastor chegou, às sete da noite, eu ainda tinha disposição para continuar cantando!

Depois que o pastor Crompton ouviu minha história, ajoelhou-se comigo e "orou até que eu obtivesse a resposta", como ele mesmo disse. Ele queria assegurar-se de que eu estava "realmente salvo", por isso confessei novamente todos os meus pecados e chorei e ri, tal como fizera antes, enquanto a sra. Webster bradava e louvava o Senhor.

Quando, finalmente, fiquei em pé, o pastor declarou:

— Irmão Thom, você nunca esquecerá este dia. Agora você é uma nova pessoa, e desejo que seja fiel ao Senhor e comece a frequentar todos os cultos da Missão.

— Estou certo de que o farei, pastor, sei que algo maravilhoso acaba de me acontecer — eu disse alegremente, abrindo-me em um largo sorriso.

Depois que apertamos calorosamente as mãos um do outro, separamo-nos e eu comecei a caminhar de volta para casa...

Seja o que for que me tenha feito parar no bar, jamais saberei. Talvez fosse a coisa mais natural a fazer. Talvez ainda não estivesse bem definido para mim o que acabava de acontecer. Talvez eu estivesse perguntando a mim mesmo se não era possível ser um bom cristão e tomar um drinque uma vez ou outra. Talvez eu estivesse desgostoso comigo mesmo por haver prometido àquele pastor frequentar aquela missão efeminada. Por alguma razão, tendo eu chegado ao bar por volta das oito e meia, algo me fez entrar.

Eu tinha dois dólares e dez centavos no bolso, e a garrafa de cerveja custava na época apenas nove centavos. Depois de consumar uma garrafa inteira, ainda me sentia sóbrio, por isso pedi algo mais caro. Um copo de vinho. Depois, conhaque. Depois, uísque. Primeiro a bebida pura, depois misturada. Às dez e meia eu havia gastado todo o dinheiro que tinha.

Estava me aprontando para sair, quando um velho amigo meu, chamado Mostert, chegou e se ofereceu para pagar-me um drinque. Voltei a sentar, e ele me pagou bebidas até às onze e meia.

— Ei, Tommy , por que você não está bêbado? Por que você ainda está sóbrio? — Mostert desabafou.

"Engraçado, eu estou sóbrio!", pensei comigo mesmo.

— O que está acontecendo com você? Minhas bebidas não lhe agradam? — Mostert vociferou.

— Oh, sim, são muito boas, sim! — repliquei.

— Então por que você não fica bêbado comigo? Eu devia dar uns trancos em você por estar jogando fora o meu dinheiro!

Ele era um homem bruto e eu sabia que podia facilmente me bater. Então, rapidamente lhe agradeci as bebidas e tomei o rumo de casa. Depois de beber por três horas a fio, caminhei aprumado como uma seta por todo o trajeto até minha casa, e não me senti mal nem um instante que fosse.

Quando entrei na sala, ali estava a sra. Webster me esperando! Senti-me tão envergonhado que tive vontade de correr, mas algo me segurou.

— Eu o estava esperando. Dei jantar às suas crianças, coloquei-as na cama e fiz uma rápida arrumação (A casa estava um brinco.). Achei que não devia deixar as crianças sozinhas até sua volta. Agora, se me dá licença, vou andando. Boa noite, irmão Thom.

Assim que a porta se fechou, dei um suspiro de alívio. Se ela desconfiou do lugar onde eu estivera, não soltou uma só palavra a respeito.

Naquela noite orei em minha cama: "Deus amado, não compreendo exatamente o que aconteceu comigo hoje e não compreendo como pude beber tanto e não ficar bêbado; mas, seja como for, ajuda-me a começar a viver retamente, e abençoe a Joyce e o bebê. Amém".

No domingo de manhã levantei-me ciente de que deveria encontrar Joyce. Eu tinha um palpite de que ela teria ido para a casa de sua irmã no outro lado da cidade. Deixei Drummond com instruções para tomar conta das crianças enquanto eu ia buscar "mamãe".

A caminho da casa da irmã de Joyce, encontrei um amigo que se propôs a pagar-me um drinque. Não posso dizer que o *desejasse* realmente, mas estava curioso em relação à noite anterior e à razão pela qual eu havia continuado sóbrio. Fiquei curioso para ver se isso ocorreria de novo. Aceitei o convite, e a bebida servida foi vinho do Porto e conhaque, que é uma das bebidas mais fortes que existem.

Bebi desde as nove horas daquela manhã até às duas da tarde e continuei incrivelmente sóbrio o tempo todo! Tinha certeza de que se tratava de um milagre de Deus!

Agradeci ao meu amigo a hospitalidade e saí de novo à procura de Joyce. Enquanto caminhava bem equilibrado, ia pensando: "*Alguma coisa* realmente *saiu de mim* quando aquela mulher ordenou aos demônios que me deixassem! Não consigo embriagar-me! É um milagre!" Comecei, então, a pensar no insaciável apetite pelo álcool que me dominava antes que ela ordenasse ao demônio do álcool que me deixasse. "Evidentemente aquele desejo ardente de álcool não era um simples desejo *humano*. Não. Era mais do que isso. *O que eu estava alimentando* quando bebia 15 litros de cerveja em uma noite? Fosse o que fosse, havia sumido."

Por volta das três horas da tarde de domingo, cheguei à casa da irmã de Joyce. Ela e o bebê estavam lá. Quando entrei pela porta da frente, meu cunhado foi logo dizendo:

— Sinto muito, mas não tenho nem um gole para você.

Aprumei-me e, olhando-o diretamente nos olhos, falei:

— *Grave bem isto: nunca mais pedirei a você, ou a quem quer que seja, uma gota de bebida. Obrigado.*

Quando eu disse essas palavras, senti um pesado fardo escorrendo por meus ombros, como um casaco da Marinha, molhado, caindo ao chão. Jesus parecia dizer-me: "*Que lhe seja feito segundo a fé que você tem!*" Naquele momento, eu soube que estava livre, que estava realmente salvo.

Voltando-me para Joyce, disse:

— Querida, vamos para casa começar uma vida nova. — Ela pegou o bebê e disse:

— Muito bem, é isso mesmo, os pequenos devem estar precisando de mim.

No caminho de volta para casa, ela perguntou:

— O que você quis dizer lá atrás sobre não mais beber?

— Exatamente o que eu falei. Aceitei Cristo em minha vida, e os velhos tempos se foram. Chega de bebidas, chega de cigarros — respondi.

— Bem, eu já ouvi essa história antes — ela disse um tanto cética.

Quando chegamos , Joyce ficou surpresa por encontrar a casa brilhando e as crianças vestidas com as roupas de domingo.

— Vocês já jantaram? — ela perguntou ansiosamente, enlaçando-as todas em um abraço.

— Sim, mãe, tivemos um jantar *especial*! — elas gritaram.

— Mas quem cozinhou para vocês?

— A sra. Webster e as senhoras da igreja!

— Sra. Webster? A senhora da Missão da Fé Apostólica?

— Sim, mamãe, e ela nos deu banho e nos vestiu, e as senhoras arrumaram a casa; assim, você e papai não teriam nada para fazer quando chegassem!

— Mas por que a sra. Webster veio *aqui*?

Nesse ponto, entrei na conversa e contei a história toda a Joyce.

— Oh, Bob! Então é verdade! Você está salvo! — ela exclamou, lançando seus braços ao redor do meu pescoço. Ela pousou a cabeça sobre meu ombro e chorou e chorou. Depois de alguns minutos, enxugou as lágrimas.

— Desculpe-me, eu não tive coragem de dizer a você, mas fui salva domingo passado — continuou.

— *Você* está salva? — perguntei incrédulo e recuando atônito.

— Sim, eu estava com medo de lhe contar, mas esperava que você notasse a diferença — disse timidamente.

— Eu *notei* algo, mas não tinha a menor ideia do que havia acontecido com você.

— Drummond também aceitou a Cristo.

— Drummond?

— Sim.

— Quando?

— No domingo de páscoa.

— Na Missão?

— Não. Na reunião de crianças promovida pela sra. Webster na praia.

— Aquela doida! Ela está decidida a pegar toda a minha família! — falei, rindo entre dentes.

— Quanto mais depressa, melhor! — Joyce replicou, rindo.

— Vamos todos à Missão esta noite — sugeri.

— Ótimo. Espere uns minutos até eu me aprontar. — Joyce disse.

Enquanto esperava, peguei o jornal de sábado que eu não havia lido por causa da emoção toda do dia anterior. Meus olhos caíram sobre uma notícia falando da empregada negra que havia sido estrangulada no bar do hotel. A notícia dizia que a polícia havia prendido o namorado dela, e ele confessara ser o assassino. Deixei cair o jornal no colo, descansei a cabeça no encosto da cadeira e ri à vontade. "Graças a Deus! *Eu não fiz aquilo!*", suspirei. Senti-me como se tivesse ganhado vida nova.

Não demorou muito e nossa família toda se dirigiu à Missão da Fé Apostólica para participar do culto da noite de domingo.

Lotamos um banco inteiro. Gostei do cântico e da pregação, mas me desagradou um bocado a mulher do pastor gritar "Aleluia" e "Louvai ao Senhor" durante todo o culto.

Ao voltarmos para casa eu disse a Joyce que nunca mais voltaria lá. Que não passavam de um monte de fanáticos!

Contudo, na noite de quarta-feira, voltamos. E outra vez na sexta-feira. E outra vez no domingo. Começamos a apreciar a fraternidade, e mesmo a mulher do pastor não parecia tão ruim depois que a conhecemos melhor.

Um dos grandes problemas que enfrentamos depois de iniciados na vida cristã foi com nossas finanças. Eu havia gastado tanto dinheiro nas bebedeiras que pouco restara para pagar as contas. As dívidas se acumularam porque, enquanto andava bebendo, eu não dava a menor importância a elas. Mas agora que eu pertencia a Cristo sabia que algo precisava ser feito. Joyce e eu conversamos a respeito e decidimos começar dedicando ao Senhor nossa família inteira e todos os nossos problemas. Jesus não disse: "Busquem, pois, em primeiro lugar o Reino de Deus e a sua justiça, e todas essas coisas lhes serão acrescentadas" (Mt 6.33)? Assim, no domingo seguinte, fomos à Missão e, no momento do apelo, fomos todos à frente e nos ajoelhamos junto ao altar. Joyce segurava o bebê e todas as outras crianças ali estavam reverentemente ajoelhadas.

— Jesus — falei — , lancei minha família em tremenda dificuldade. Gastei meu dinheiro na bebida, as crianças não têm sido devidamente alimentadas ou vestidas e as contas estão por pagar. — Chorei como uma criança antes de prosseguir. — Jesus, tu salvaste a mim e a Joyce para a glória do teu nome, e creio que podes colocar em ordem toda esta confusão se nos entregarmos a ti.

Nesse momento me consagrei pessoalmente ao Senhor, bem como minha mulher e filhos. Deus podia usar todos os meus filhos como missionários, se essa fosse a sua vontade. Contei sobre meu problema asmático, que vinha se agravando desde os dias do orfanato. Falei das minhas falhas e frustrações. Mencionei minhas dívidas — os milhares de dólares que eu sabia que não podia pagar. Eu tomara grandes empréstimos da Marinha e do Fundo Militar de Guerra; isso acrescido do aluguel, do alimento, da roupa e de outras despesas. "Deus", orei, "ofereço-te essas dívidas em nome de Jesus".

Na ocasião eu não sabia, mas quando você oferece uma dívida a Deus, a sua dívida se torna uma dívida *dele*, e Deus sempre paga suas dívidas! Três semanas depois, recebi duas cartas idênticas dos dois fundos de empréstimos: minhas dívidas para com eles haviam sido convertidas em subsídios e, portanto, nada mais havia que pagar.

6

"Je-Jesus, o qu-que cura e ba-batiza"

O ano de 1948 foi um grande ano. Eu ainda estava na Marinha, mas vinha dedicando a maior parte do meu tempo livre ao estudo da Bíblia e cooperando na Missão desde a minha conversão um ano e meio antes. Eu estava crescendo espiritualmente, mas um grande teste, acerca do qual eu nada sabia, me aguardava mais adiante.

Eu havia descoberto que uma das doutrinas continuamente enfatizadas na Missão era a da cura divina. O pastor proclamava em alto e bom som que Jesus era capaz de curar todas as nossas enfermidades, e eu acreditava no que ele dizia. A regente do nosso coro também falava frequentemente do poder de Deus para curar. Repetidas vezes vi pessoas enfermas sendo ungidas com óleo, de acordo com as instruções de Tiago 5.14. Toda a vez o pastor citava Marcos 16.18: "... imporão as mãos sobre os doentes, e estes ficarão curados".

Contudo ninguém ficava curado. Ninguém sarava. Isso era por demais desanimador para mim. Minha condição asmática estava piorando. Repetidamente eu acordava de noite, alarmado, fazendo um tremendo esforço para respirar. Eu fora ungido e ungido, mas nada acontecera.

Então, certa tarde, dirigi-me à diretora do coro e falei: — Não há *alguém* nesta cidade que possa orar pela minha cura? Eu estou *doente*!

— Muito bem — ela disse — eu orarei, se você aceitar que eu o faça.

— Mas você *já* orou por mim — retruquei — e me sinto mais doente do que nunca.

— Eu sei — ela disse, com um olhar distante. Você devia ter estado aqui quando John G. Lake nos visitou.

— Por quê? Quem é John G. Lake?

— Ah, é o pregador norte-americano que realizou todos os milagres quando esteve aqui, mas ele já voltou para os Estados Unidos...

— E levou os milagres com ele — acrescentei sarcasticamente.

— Bem, irmão Thom — ela replicou —, não há por aqui quem faça a oração da fé como *ele* fazia.

— Eu já notei isso — respondi tristemente.

Fui para casa desgostoso e desanimado naquela noite. Tenho certeza de que Joyce notou. Antes de ir para a cama, tomei dois comprimidos de efedrina, a única coisa que me proporcionava algum alívio em minhas dificuldades respiratórias. Sentei-me à beira da cama, peguei minha Bíblia da mesa de cabeceira e abri ao acaso no evangelho de Marcos. Li, então, o seguinte:

"Eu lhes asseguro que se alguém disser a este monte: 'Levante-se e atire-se no mar', e não duvidar em seu coração, mas crer que acontecerá o que diz, assim lhe será feito" (Mc 11.23).

"Senhor", falei, "isso é para mim também? Ou era somente para os 12 discípulos?"

"*Leia-a de novo*", tive a impressão de ouvir o Espírito Santo dizer-me.

Então comecei a ler de novo, desta vez destacando as palavras: "Eu lhes asseguro que se alguém...". Parei estupefato. *Alguém*! "Senhor", exclamei, "isso quer dizer que esta promessa é para *qualquer pessoa* que decida crer nela?!"

Em seguida passou pela minha mente que talvez essa promessa se aplicasse somente a certas situações. Talvez não funcionasse em relação à minha doença, ou à doença de alguma outra pessoa. Então li o restante do versículo, e o Espírito Santo me permitiu "ver" as últimas palavras do texto: "... acontecerá o que diz, assim lhe será feito". *O que se disser!* Qualquer coisa, qualquer coisa no mundo inteiro, é possível, onde existe fé.

Quem quer que seja e o que quer que seja! Qualquer pessoa pode obter qualquer coisa, basta apenas crer! A promessa era tão grande que fez minha cabeça girar. "Senhor", orei, "se ninguém mais, nesta cidade, fez esta Bíblia ter vida desde que John G. Lake aqui esteve, permite-me, então, ser o primeiro a fazê-lo!"

Alguns dias depois eu estava de volta à Missão e, por alguma estranha razão, me sentia impelido a orar pelos enfermos. Era estranho. Eu ainda vinha sofrendo com minha asma, e não fazia sentido que eu, um homem doente, estivesse ministrando aos enfermos, mas isto parecia ser exatamente o que Deus estava me ordenando fazer; assim, ao fim do culto, orei por algumas pessoas enfermas. Em poucos dias, para grande surpresa minha, soube que elas haviam sido curadas.

Assim encorajado, passei a orar mais regularmente pelos enfermos. Muitas vezes visitava amigos doentes em suas casas e orava por eles. Deus começou a operar milagres. Algumas curas notáveis foram noticiadas no jornal local. Mas eu continuava a respirar com dificuldade. Apenas não conseguia compreender por que Deus não me curava.

Experimentei uma breve interrupção no meu desânimo no dia em que o pastor me perguntou se eu estava disposto a pregar o sermão do próximo domingo à noite.

— O senhor acha que posso fazê-lo, pastor? — perguntei ansiosamente.

— Não é você um marinheiro da Marinha Sul-Africana? — ele retorquiu.

— Sim, senhor.

— Você não tem uma parceria com o Deus todo-poderoso?

— Sim, senhor.

— Então você o *fará*, meu homem, você o fará!

Sorri satisfeito e lhe agradeci a honra.

A caminho de casa, decidi parar na residência do irmão Busche, um dos presbíteros de nossa Missão.

— O que você acha? — fui perguntando assim que entrei na sala em que ele estava assentado. — Vou pregar no domingo à noite!

— Oh, é isso? — ele respondeu com surpresa. — E como você conseguiu *ser* o pregador?

— O pastor me convidou — respondi com um largo sorriso.

— Bem, e isso não é ótimo? — ele acrescentou friamente, com um toque de ciúme. — Suponho que você espera realizar um grande culto?

— Bem — respondi —, algumas almas serão salvas, tenha certeza.

— Mas o que lhe dá tanta certeza disso? — ele perguntou. — Você não sabe que, além de você, ganho para o Senhor pela sra. Webster, não vimos uma só alma salva nos últimos quatro anos?

— Pode ser — respondi —, mas venha no domingo à noite e você verá.

— Irmão Thom — ele disse, pondo-se em pé indignado —, você pensa que Deus vai nos deixar à margem, nós, presbíteros e diáconos, e operar por meio de um novato?

— Eu não tive a intenção de desrespeitar... — gaguejei.

— Saia de minha casa! — ele gritou. — Seu orgulho é uma abominação para Deus!

— Está certo. Desculpe-me — eu disse, voltando-me para sair. — Mas compareça domingo à noite; você verá.

Na noite de domingo lá estava ele, embora muito distante. Mas Deus me ajudou a pregar minha mensagem e, de fato, quatro pessoas foram à frente para serem salvas. Percebendo quão errado estivera, o irmão Busche me procurou após o culto e me pediu perdão. Entretanto, como efeito de algumas críticas dos outros presbíteros e diáconos, o pastor foi muito mais cauteloso quanto a convidar-me a pregar novamente.

Não obstante, senti minha responsabilidade de ser testemunha de Cristo sempre que possível e, assim, comecei a ir à praia nas tardes de domingo, testemunhando ao povo que lá estava. Nunca me ocorrera que aquele era o ponto preferido pelos judeus aos domingos! Desnecessário dizer que meu testemunho foi escarnecido e ridicularizado.

Havia pouco encorajamento de qualquer pessoa além de Joyce. Muitas que frequentavam a Missão insistiam em dizer-me: "Cuidado, você está indo muito depressa". Mas não parecia sensato diminuir meu zelo pelo Senhor. Eu havia perdido tempo demais nos anos que vivera no pecado.

Descendo a rua algum tempo depois, encontrei Danny Maxwell, o superintendente da escola dominical da igreja metodista da qual eu havia sido membro. Esse homem me ajudara a chegar em casa numa noite em que eu estava completamente embriagado, justamente dois meses antes de minha conversão; por isso eu estava certo de que ele ficaria muito alegre ao ouvir meu testemunho.

Depois que lhe contei da maravilhosa mudança em minha vida, ele disse:

— Bem, estou contente por ouvir acerca da mudança ocorrida em você, mas não me lembro de tê-lo visto na igreja. Por onde você tem andado?

— Oh — respondi —, veja você. A sra. Webster, que me guiou a Cristo, levou-me à Missão da Fé Apostólica e me apresentou ao pastor, e é lá que estou frequentando.

— *Você está* frequentando a *Missão da Fé Apostólica*? — ele perguntou com desdém.

— Sim. Faz um ano e meio que a frequento.

— Você é membro?

— Claro.

Ele meneou a cabeça em um gesto de descrença.

— Tommy, nunca pensei que você deixaria a Igreja Metodista e se misturaria com uma seita falsa. Se quiser saber a verdade, você estava melhor fora disso, quando andava bebendo.

Chocado, eu o deixei. Enquanto seguia para casa, repetia para mim mesmo: "Imagine! Ele preferia que eu fosse um metodista bêbado a ser um cristão salvo frequentando a Missão!" Não havia como compreender esse raciocínio.

Todavia, ainda mais desencorajador foi o que aconteceu no sábado seguinte. O pastor Crompton e sua mulher estavam a par do meu sofrimento com a asma e, quando souberam que certo irmão McQuade viria pregar e ministrar aos doentes na Igreja da Fé Apostólica em Plumstead, decidiram levar a mim e a Joyce à reunião.

— Quem sabe? — o pastor Crompton comentou com otimismo. — Você pode voltar de lá curado!

— Assim espero, com certeza — repliquei. — Continuando deste jeito, não poderei ir muito longe.

Foi um tremendo desapontamento quando o irmão McQuade se levantou para falar! Ele era corcunda, horrivelmente deformado, com mãos ossudas e feições de falcão. "Como *esse* homem pode ministrar aos enfermos?", perguntei a mim mesmo, "Ele parece um semimorto!"

Para tornar as coisas piores, quando o homem abriu a boca para falar, gaguejava terrivelmente. Ele anunciou que ia falar acerca de "Je-Jesus o qu-que cura e ba-batiza no Es-Es-Espírito".

Sentei-me ali e o ouvi gaguejando, com um pensamento na mente: "Este homem é um mentiroso; se ele tem algum poder de curar, por que não o usa para si mesmo?"

Fui-me embora da reunião ainda mais desencorajado.

Na quarta-feira seguinte, eu estava quase arrasado. A asma se manifestara mais forte naquele dia do que de costume, por isso não fui trabalhar. Eu respirava com dificuldade e lutava com a falta de ar até que me senti completamente exausto.

— Por que você não vai à casa do pastor? — Joyce sugeriu. — Estão realizando uma reunião de oração esta manhã.

— É uma boa ideia — concordei. — Talvez eu consiga ser curado hoje.

— Bem, é o que eu também espero — disse. — Se Deus não fizer algo pela sua asma, você logo *não poderá trabalhar mais.*

Dirigi-me, então, à casa do pastor Crompton e juntei-me ao grupo que já estava reunido na sala. Logo constatei que se tratava de uma reunião regular de oração, em que as pessoas oravam por um reavivamento e pelas necessidades da Missão.

Terminada a reunião, continuei ajoelhado junto à minha cadeira, suplicando alto o toque de cura divina para minha asma. Muitas pessoas estavam-se retirando, mas, quando a irmã Crompton me ouviu orando, ela pôs a mão sobre meu ombro e suplicou a Deus:

— Senhor, ajuda este irmão em sua autocomiseração.

"Autocomiseração!?", resmunguei, "Ela não percebeu o que venho sofrendo ultimamente!" Naquele momento, alguém bateu à porta e ela foi atender.

Alguns minutos depois, o pastor veio do andar superior, para onde fora após a reunião, pôs a mão na minha cabeça e orou: — Pai, ajuda este irmão em sua autocomiseração!

"O que está acontecendo aqui?", perguntei a mim mesmo, "Eles ensaiaram *essa* oração!"

Então outra pessoa pediu para falar com o pastor e ele se retirou. Um pensamento estalou na minha cabeça, vindo não sei de onde: "Eles não amam você".

"É isso mesmo", concordei, "eles nunca me *amaram*".

Parei de orar e comecei a ruminar todas as minhas dúvidas e preocupações.

"As pessoas poderiam ao menos enfrentar a realidade", pensei, "Eles *falam* a respeito de cura, mas eles não têm mais poder de curar do que esta cadeira sobre a qual me debruço. Eles falam de amor, mas eu não posso fazer *nada* naquela Missão por causa do seu ciúme carnal!"

Fiquei ali ajoelhado um longo tempo, em silêncio, para reunir coragem de pensar meus *verdadeiros* pensamentos. Finalmente, não pude mais contê-los: "Deus não se importa comigo. Se se importasse, ele me curaria. Ele me levantaria e me ajudaria a compreender melhor a Bíblia. Ele me daria mais poder para testemunhar. Mas Deus não se incomoda. Eu fui um doido por chegar a crer nesta droga. Eu não passo de um estúpido hipócrita. Igual a eles..."

Levantei-me da cadeira onde estava ajoelhado e, sem despedir-me de ninguém, saí nas pontas dos pés e tomei um ônibus. Eu estava tão desgostoso que podia ter acabado com tudo ali mesmo. Um pensamento me veio de algum lugar: "*Por que não volta ao Grand Hotel onde você costumava beber?*" "*Bem que eu poderia*", murmurei dominado pelo desespero, "*Ninguém se importaria*".

Uma quadra antes do Hotel, toquei a campainha avisando ao motorista do ônibus que eu queria descer. Ao levantar-me para deixar o ônibus, ouvi uma voz não muito audível, porém muito distinta. A voz dizia: "*Nunca o deixarei, nunca o abandonarei*". Desci do veículo, atravessei a rua e, de novo, ouvi a voz: "*Nunca o deixarei, nunca o abandonarei*".

Quando cheguei ao Grand Hotel, lá estava o garçom Jock na calçada, justamente no lugar em que o Diabo o havia colocado! Ao passar, Jock me reconheceu.

— Tommy! Velho companheiro! — ele gritou, abrindo-se num largo sorriso. — Faz tempo que não vejo *você*! Entre e tome um drinque por conta da casa! — Era como se o bafo quente de Satanás tivesse sido lançado no meu rosto.

— Não posso entrar hoje, Jock — repliquei, com firme determinação e continuei andando. À medida que eu me afastava, tinha a estranha impressão de que devia ir à casa do irmão McQuade, que me diria algo acerca do batismo do Espírito Santo. Eu sabia que precisava ser batizado, por isso prossegui rumo à casa do irmão McQuade.

Eu tinha certeza de que ele morava em algum ponto da montanha, além do grande Hospital Groot Schuur, por isso tomei um ônibus — mas era o ônibus errado. Não querendo gastar mais dinheiro em transporte, subi a montanha a pé, perguntando aqui e ali onde ficava a casa de McQuade.

À uma hora da tarde eu ainda não havia encontrado a casa e estava faminto; gastei meu último trocado em uma barra de chocolate com recheio de nozes e passas. Ia dar a primeira mordida quando notei que estava estragada. Chateado, joguei-a no ralo. Uma voz parecia dizer-me: "Deus não se incomoda nem mesmo quando você está com fome". Por um momento pensei em dar a volta e retornar à minha casa. Mas, então, me lembrei daquela outra voz: "*Nunca o deixarei* [...]"

Enfim, encontrei a casa de McQuade. Bati e uma empregada veio atender à porta.

— Meu nome é Thom, Robert Thom — falei.

— Sim, sr. Thom. Quem o senhor quer ver?

— O irmão McQuade. Ele está aqui?

— Sim. Entre. O senhor o verá logo após o almoço. — Ela pegou minha jaqueta e entrou em outra sala.

Sentei-me para esperar. Mas, quando comecei a pensar na conversa com McQuade sobre o Espírito Santo, já não estava tão seguro de querer tratar do assunto com ele. Tive vontade de levantar-me e esgueirar-me porta afora. Mas, justamente nesse instante, de ombros encurvados, o velho McQuade entrou na sala em que eu estava sentado.

— Oh, ir-irmão Tommy! — ele disse, arreganhando um sorriso. — O que posso fa-fazer por você?

Tentando uma evasiva, falei: — É que apanhei uma sinusite — o que não deixava de ser verdade. Sem hesitação, ele se aproximou de mim, comprimiu aquela mão ossuda sobre meu nariz e declarou: — Em nome de Jesus Cristo, tu, espírito do sinus, *sai dele*! — Naquele exato momento, um poder estranho veio sobre mim, e minhas narinas se abriram completamente. Aspirei profundamente o ar fresco e disse: — Louvado seja o Senhor!

— Irmão — ele disse — ajoelhe-se, você precisa do Es-Espírito S-Santo.

— Realmente — gaguejei —, foi por isso mesmo que eu vim.

— Eu sabia — ele respondeu com um lampejo nos olhos. — Ajoelhe-se aqui e comece a lou-louvar a Deus. De-Deus vai ba-batizá-lo no Espírito Santo.

Obediente, ajoelhei-me e tentei louvar a Deus por tudo o que ele fizera por mim. Mas a minha boca estava seca, e o meu coração estava frio.

Enquanto estava ajoelhado, "ouvi" uma voz que me dizia: "Sua casa pegou fogo! Sua mulher está chamando você!"

De um salto fiquei em pé e disse a McQuade:

— Onde está minha jaqueta?

— Por quê, o que-que está errado?

— Minha casa está se incendiando e minha mulher está chamando por mim.

Ele me olhou de modo estranho, girou nos calcanhares e abriu uma janela. — Tu, De-Demônio — gritou, apontando para a janela aberta —, em nome de Jesus Cristo, *sa-sai daqui*.

Depois, voltando-se para mim, disse:

— Irmão, sua mulher n-n-nunca o chamou, e sua casa não está se in-incendiando. — Então, fechando e trancando a janela, explicou: — Aquele era um de-demônio que se opunha a você. Mas eu or-ordenei que ele saísse de você no nome de Je-Jesus, e ele obedeceu. Agora, vamos voltar ao as-assunto de que estávamos tratando.

Eu sabia muito pouco sobre esse assunto de "demônio" e também não estava muito certo de *querer* saber! Dar ordens a diabos e a espíritos invisíveis era um pouco demais para mim. Eu me lembrava ainda de como a sra. Webster expulsara de mim o "demônio bebedor", ou seja lá o que fosse, por isso talvez houvesse algo relacionado ali.

— Agora, irmão Tommy — McQuade continuou —, Deus n-não se agrada de culto de lábios; ele quer l-louvor do coração.

Se você realmente quer ser ba-batizado no Espírito Santo, então comece a lo-louvar a Deus de todo o coração. A f-fé viceja no louvor, e Deus é o louvor de Is-Israel.

Então levantei minhas mãos e comecei a louvar a Deus de todo o meu coração. A secura da minha boca desapareceu. Minha língua parecia pegar fogo à medida que o louvor irrompia de mim. De repente, fui tomado pelo Espírito. Era algo estranho, algo assim como uma experiência "fora do corpo", quando meu espírito parecia estar vendo dentro de outra esfera.

Via uma escada de mármore branco que descia do céu. Ela se desdobrava como um acordeão e descansava no chão diante de mim. Vi, então, um homem em miniatura ajoelhado ao pé daquela grande escada, olhando para cima e batendo palmas em adoração e louvor. Fiquei maravilhado quando percebi que o homenzinho se parecia exatamente *comigo*!

Fascinado por aquele pequeno homem tão envolvido no culto, meus olhos subiram escada acima buscando encontrar o objeto de sua contemplação. A primeira coisa que vi foi um par de pés transpassados por cravos, calçados com sandálias e descendo através das nuvens que envolviam o topo da escada. Sabendo que era o Senhor, vendo seus pés cada vez mais próximos, curvei a cabeça em reverência.

Quando levantei os olhos novamente, parei de respirar, maravilhado. O Senhor aparecia como um Homem grande e forte, vestido com um manto prateado, cingido com uma larga faixa dourada. Seu rosto corado brilhava como o sol. Trazia, na mão direita, um grande jarro de pescoço estreito, cheio de vinho novo.

No mesmo instante lembrei as palavras de Jesus: "Se alguém tem sede, venha a mim e beba" (Jo 7.37). Lembrei também a explicação que João dá a essa declaração, no versículo 39: "Ele estava se referindo ao Espírito, que mais tarde receberiam os que nele cressem [...]".

Assim que o Senhor chegou ao pé da escada, falou ao homenzinho que, agora, eu sabia ser eu: "*Meu filho*", ele disse, "*eu agora te dou o dom da fé*". Vi aquele homenzinho juntar as pequenas mãos em forma de concha, e o Senhor derramou vinho efervescente nelas, e ele o bebeu.

Em seguida o Senhor disse: "*Meu filho, eu também te dou o dom da cura*", e, de novo, inclinou o jarro e derramou mais vinho naquelas pequenas mãos. E o homem voltou a beber.

Pela terceira vez o Senhor falou: "*Eu te dou o dom da profecia*". Mais vinho foi derramado, e o homem bebeu.

Pela quarta vez o Senhor falou: "*Eu te dou a palavra do conhecimento*". O vinho gorgolejou do jarro, e o homem bebeu.

Pela quinta vez o Senhor falou: "*Eu te dou o dom de línguas*". Vi o homenzinho beber como antes e, de repente, ele ergueu os olhos para o Senhor de um modo que parecia que ia estourar de alegria. (Lembro-me de haver pensado ao mesmo tempo: "*Se não abrir agora a minha boca e deixar que o que está dentro de mim saia, vou explodir!*" Eu me sentia como o "homem do pneu Dunlap", a personagem da Companhia Dunlap usada para fazer propaganda de seus pneumáticos — um homenzinho gordinho feito de pneus e câmaras-de-ar. Eu estava tão cheio de alegria e devoção que não conseguia contê-las!) De repente o homenzinho começou a adorar o Senhor em uma língua que eu jamais ouvira. A princípio era oscilante, mas depois se transformou em um linguajar claro, doce e cheio de unção. Eu ainda estava observando o homenzinho louvando ao Senhor quando, de repente, a escada de mármore balançou para a esquerda e desapareceu. Depois vi o Senhor desvanecer-se no ar transparente, e a pequena figura também se foi. Passados alguns momentos, tinha a sensação de "descer a terra" e me vi de joelhos na sala da frente da casa do irmão McQuade, orando em línguas! *Rios* de água viva fluíam de minha boca! Eu sabia que o Senhor me havia batizado no Espírito Santo.

No entanto fui tomado pelo Espírito novamente logo em seguida. Desta vez olhei para cima e vi uma cidade quadrada baixando graciosamente a terra, como uma majestosa espaçonave.

Enquanto a cidade baixava lentamente, fui arrebatado aos céus, onde tive ocasião de ver a beleza espantosa desta metrópole celestial. Seu tamanho só poderia ser comparável a uma centena de Nova Iorques conjugadas em uma grande megalópole. Eu podia ver os belos telhados de ouro e as áreas semelhantes a parques onde as árvores formavam arcos sobre as ruas.

De novo fui trasladado para a parte leste da cidade. Olhando para trás, fiquei surpreso ao ver um Homem montado em um cavalo branco, colocado entre mim e a cidade. Ele devia ter quase seis metros de altura, era forte, musculoso e tinha bandas de ouro em volta dos braços.

— Senhor — gritei —, por que o Cristo é tão grande?

E ouvi uma voz vinda da cidade dizer:

— *Ele não é mais o menino de Belém, nem o Cristo crucificado, mas o Rei dos reis e o Senhor dos senhores, voltando para receber os remidos de todos os tempos.*

Em um instante a visão desapareceu. Quando voltei a mim, estava ainda adorando em línguas. McQuade ria e louvava ao Senhor ao mesmo tempo. Coloquei-me de pé, saí cambaleante daquela casa embriagado pelo "vinho" do Espírito e nem me despedi de McQuade. Tudo o que posso recordar é sua risada hilariante que eu ouvi ao passar diante da porta da frente.

Quando cheguei em casa naquela tarde, Joyce perguntou:

— E então? Como foi a reunião de oração?

— Oh, formidável! — respondi. — Não estou curado ainda, mas acho que agora vou conseguir.

— Ótimo! — ela disse com alegria, enquanto colocava a mesa para o jantar. — Eu estava orando para que alguma coisa extraordinária acontecesse com você hoje.

— E aconteceu! — respondi, sorrindo.

7
A casa com muitas árvores frutíferas

Foi naquele mesmo ano que a Marinha me transferiu para o Transvaal (província no nordeste da África do Sul), a cerca de 1.600 quilômetros de distância. Não foi fácil deixar Joyce e as crianças, mas havíamos confiado nossa vida a Cristo e sabíamos que ele estava no controle de qualquer situação que tivéssemos de enfrentar.

Meu posto era em Pretória, a capital do Transvaal. Enquanto permaneci ali, procurei tirar proveito de toda a oportunidade de testemunhar por Cristo. Como os fins de semana eram livres, eu tinha tempo de sobra para falar do Senhor a qualquer pessoa que se dispusesse a ouvir.

Em um fim de semana Deus colocou na minha mente a Igreja do Evangelho Pleno em Benoni e me disse que eu deveria pregar ali no domingo de manhã. "Senhor", protestei, "não é de boa etiqueta eu entrar em uma igreja e dizer aos que lá estão que cheguei para pregar a eles."

"*Confie em mim*", o Senhor parecia dizer, "*lá existe alguém que precisa de seu auxílio*".

Assim, bem cedo na manhã de domingo, vesti meu uniforme de gala, marinheiro que eu era; com uns trocados no bolso, consegui viajar de carona até aquela igreja, distante muitos quilômetros. Chegando ali, o povo me tratou com muita bondade e procurou saber mais a meu respeito. Quando descobriram que eu viera de Pretória tão-somente para participar do culto, ficaram intrigados.

— Por que você viajaria de carona toda essa distância só para estar em nossa igreja? — perguntaram.

— Bem, é... Ah... Vocês talvez não acreditem, mas Deus me enviou aqui para pregar esta manhã.

Rapidamente dois dos membros da igreja procuraram o pastor e lhe falaram a meu respeito e a respeito do que eu dissera. Na hora de começar o culto, lá estava eu no púlpito pregando! E, oh, como gostaram da mensagem evangélica simples que eu preguei!

Lembrando o que o Senhor me havia dito acerca de uma pessoa a quem eu levaria ajuda, conservei-me vigilante para descobrir meu alvo; mas, já no final do culto, um tanto desapontado, eu ainda não havia localizado a pessoa.

Entretanto, depois que o culto terminou, o casal Anderson me convidou a acompanhá-los até sua casa para orar por sua filha, Hope, que sofria de distrofia muscular. Aceitei o convite, e eles me levaram à sua fazenda de trigo. Oscar Changuoin, secretário do Administrador Geral das Estradas de Ferro Sul-Africanas em Johannesburgo e grande ganhador de almas, foi conosco.

Tão-logo eu vi a jovem Hope, senti que ela era a pessoa a quem eu fora enviado. Ela estava gravemente aleijada, tendo uma das pernas encolhida e paralisada.

— Hope — falei, pegando sua mão —, Jesus vai curar você hoje. — Então me ajoelhei, acompanhado por Oscar e pelo casal Anderson e fizemos uma simples oração de fé, na qual começamos a louvar ao Senhor pela resposta, antes mesmo de ver qualquer evidência palpável de uma cura.

Mais tarde naquele dia, voltei a Pretória de carona. Oscar prometeu que me telefonaria assim que se manifestasse qualquer mudança visível no estado de Hope. Na realidade, eu esperava ser chamado naquela mesma noite. Mas nenhum telefonema ocorreu.

Esperei, então, toda a segunda-feira, mas nada aconteceu. Lá pelo final de tarde de segunda-feira, minha cabeça estava inundada de perguntas sobre a realidade da minha fé e por que eu não via resultados imediatos.

Na terça-feira de manhã, o telefone tocou. Era Oscar.

— Irmão Thom — sua voz gritou do outro lado da linha. — Você soube do que aconteceu a Hope Anderson?

— Não — respondi, sorrindo e segurando o telefone a certa distância do meu ouvido. — O que aconteceu?

— Ela acordou segunda-feira de manhã *perfeitamente curada*!

— Você está dizendo que a paralisia desapareceu por completo?

— Não restou uma só lembrança!

— E a perna dela endireitou? Chegou ao comprimento normal?

— Sim, endireitou e se alongou cerca de seis centímetros!

— Então ela está andando?

— Andando!? Ninguém consegue mantê-la sentada!

— Louvado seja Deus! — exclamei.

— Amém! — Oscar replicou, soluçando.

Pendurei o telefone, profundamente impressionado com o poder de Deus para curar. Algumas semanas depois consegui uma carona até Benoni, especialmente para ver Hope com meus próprios olhos. Foi difícil acreditar que aquela era a mesma menina.*

*O leitor gostará de saber que, quatro ou cinco anos após a cura, Hope Anderson candidatou-se a um emprego no Serviço Civil. Em complemento ao seu exame físico, o médico atendente pediu sua ficha médica. O doutor que a havia atendido durante a enfermidade tinha morrido, mas foi possível obter os registros do hospital local. Depois de ler as folhas do registro e voltar a examiná-la, o médico disse:

— O seu médico estava bom da cabeça? Ele devia estar perturbado.

— Por que o senhor diz isso? — Hope perguntou.

Foi então que percebi a importância de *agir* pela fé. Não havia razão visível pela qual devêssemos ter louvado ao Senhor por curar Hope. A evidência visível dizia que não, ela não estava curada. Mas eu também sabia que "a fé sem as obras é inútil" (v. Tg 2.20). Foi por isso que resolvemos colocar nossa fé em ação e louvar a Deus antecipadamente. Nós preferimos crer nas promessas de Deus a crer nas circunstâncias que nossos olhos mostravam. A Bíblia não diz que "[...] a fé é a certeza daquilo que esperamos e a prova das *coisas que não vemos*" (Hb 11.1)? Isto se tornaria o princípio-chave da emocionante vida de fé que Deus havia traçado para mim. De fato, alguns poucos dias depois eu voltaria a usar essa chave.

Quando percebi que ficaria servindo em Pretória por algum tempo, comecei a orar a Deus pedindo que ele trouxesse minha família da Cidade do Cabo. Eu sentia muita falta de Joyce, e as crianças precisavam do pai. Mas havia grande falta de moradias. Eu sabia que seria quase impossível encontrar um lugar para morar, a não ser que Deus realizasse um milagre.

Um domingo à noite, quando estava orando muito fervorosamente acerca desse assunto, senti uma impressão irresistível de que Deus me daria uma casa com muitas árvores frutíferas. Estava tão certo de que era Deus falando comigo que, na segunda-feira, fui ao Escritório de Controle de Habitação do Governo e me inscrevi solicitando uma casa. Depois de preencher o formulário, dirigi-me à senhora encarregada.

— Estes registros mostram que você teve distrofia muscular, mas você goza de perfeita saúde.

— Na verdade — Hope explicou —, agora estou com perfeita saúde, mas eu tive distrofia.

— O que aconteceu, então? — o médico perguntou.

— Bem — ela respondeu —, um homem orou por mim...

Hope conseguiu o emprego e é atualmente mulher do pastor de uma Igreja de Deus do Evangelho Pleno na África do Sul. E continua a gozar perfeita saúde.

— Senhora — falei —, vou à Cidade do Cabo buscar minha família. Estaremos aqui na sexta-feira à noite. Logo que a senhora tiver a chave da minha casa, pode ter a bondade de deixá-la neste endereço? — E coloquei em sua mão um pedaço de papel com o nome e o endereço do pastor da igreja que eu estava frequentando desde que chegara a Pretória.

Ela olhou para mim como se eu estivesse louco.

— Senhor — ela disse —, talvez lhe interesse saber que o seu número na lista de inscrições é 11.001. Receio que seja impossível.

— Não — insisti —, *Deus me disse* que me daria uma casa com muitas árvores frutíferas.

— Senhor — ela replicou —, não tente me subornar.

— Senhora, não estou tentando suborná-la — respondi, sorrindo. — Só estou pedindo que faça o favor de deixar a chave com esse homem; estou de mudança. Chegaremos sexta-feira à noite.

A encarregada, sem fala, fixou os olhos em mim, enquanto eu lhe dava as costas, deixando o meu formulário em suas mãos. Só que ela não estava mais espantada do que eu. Enquanto me afastava, eu me assombrava com a minha própria audácia, declarando minha fé com tanta certeza. "*Onde eu consegui essa fé?*", perguntei a mim mesmo, perplexo.

Quando cheguei à Cidade do Cabo, Joyce e as crianças ficaram surpresas por ver-me, e duplamente surpresas ao saberem que estávamos de mudança.

— Mas eu não tenho nada empacotado! — Joyce falou.

— Vamos arrumar tudo rapidamente — eu disse. — Se trabalharmos juntos, teremos tudo pronto em um dia.

Ela me lançou um olhar meio zangado, meio divertido. De repente soltou uma alegre gargalhada. — Bob — ela disse —, você é o homem mais doido que já encontrei!

Ao final do dia já tínhamos tudo empacotado e pronto para ser transportado e entregue no escritório de transporte ferroviário. No meio da manhã seguinte, ouvindo o traque-traque das rodas nos trilhos, lá estávamos no trem a caminho de Pretória. Os meninos, cansados da trabalheira do dia anterior, caíram logo no sono.

— Bem, não há dúvida de que é bom relaxar um pouco — Joyce disse, descansando a loura cabeça no encosto macio da poltrona.

— Sim, ontem foi um dia *daqueles*, não foi? — respondi, bocejando.

De repente, ela se aprumou na poltrona e disse:

— Bob, você *nunca* me falou a respeito da nossa casa nova.

— Oh, sim — respondi. — Com toda essa correria, até me esqueci de contar. Você vai gostar. Tem uma porção de árvores frutíferas.

— Quantos quartos?

— Os necessários.

— Tem uma cozinha ampla e bonita?

— Você vai gostar, tenho certeza.

— É só isso o que você pode dizer?

— Eu queria fazer uma surpresa.

— Oh! — Ela sorriu e voltou a descansar a cabeça na poltrona. Não demorou muito, e ela dormia placidamente.

"Senhor", orei baixinho, "se falhares comigo agora, nunca mais falarei contigo".

Na sexta-feira, por volta das seis horas da tarde, chegamos a Pretória. Logo que saímos do trem, procurei um telefone e liguei para o pastor.

— Aqui fala Robert Thom — eu disse. — O senhor tem algum recado para mim?

— Oh, sim, Robert — ele disse. — Uma senhora passou hoje por aqui e deixou uma chave para você e um pedaço de papel com um endereço.

— Qual é o endereço? — perguntei, pegando a caneta.

— Rua Van Heerden, 40, Capital Park, Pretória.

— Obrigado — falei. — Já, já estarei aí para pegar a chave.

Antes de deixar o telefone, fiz rapidamente outra chamada, tomando providências para que nossos pertences fossem levados ao novo endereço.

Quando chegamos à nova casa, a primeira coisa que notei foi que era cercada de árvores frutíferas! Lágrimas encheram meus olhos. Abri a porta da frente da casa, e Joyce e as crianças gritaram de alegria. Enquanto examinavam a casa, fui ao quintal e contei 14 variedades de árvores frutíferas — damascos, pêssegos, maçãs, pêras, laranjas, limões, romãs, figos e várias outras. Só podia ser um milagre.

"Jesus", eu disse com um nó na garganta, "por que o Senhor é tão bom para nós?".

8
Mil e seiscentos quilômetros de carona

Passados cerca de seis meses, tive mais uma daquelas estranhas impressões: eu logo estaria de volta à Cidade do Cabo. Mas como nos sentíamos bem instalados em Pretória, eu não conseguia compreender por que a estada deveria ser tão curta. Eu tinha consciência de que era perigoso aceitar cegamente toda a sugestão que chegava a nós, então comecei a orar pedindo orientação especial.

Logo a impressão se tornou bem mais nítida. Parecia que Deus estava me dizendo: "*Você deve jejuar e orar durante 14 dias. Logo você se afastará de sua família por algum tempo e voltará à Cidade do Cabo. Ali mostrarei outra parte do meu plano para sua vida*".

Agradava-me muito ir à Cidade do Cabo. Um dos meus mais queridos amigos, Ken Sawyer, morava lá. Eu tinha certeza de que Deus me revelaria sua vontade se pudesse passar alguns dias em jejum e oração na quietude do lar de Ken.

Eu tinha direito a uma licença de 30 dias a contar da semana seguinte, e tudo indicava que, por certo período, esta seria a minha única oportunidade de viajar. Contei a Joyce o que estava ocorrendo no meu relacionamento com Deus e ela concordou em que eu deveria ir.

No dia seguinte, comecei a jejuar. Resolvi que o jejum seria total, com exceção da água. Assim, no horário de cada refeição, em vez de comer, eu orava, geralmente em algum lugar reservado onde pudesse concentrar-me em Jesus.

No quinto dia, senti que chegara o momento de seguir viagem. Eu tinha apenas alguns trocados no bolso, mas me sentia confiante de que o Senhor abriria um caminho. Despedi-me da família e parti para a viagem de 1.600 quilômetros.

Fui de carona até o aeroporto de Zwartskop, com o palpite de que talvez arranjasse uma carona também de avião. Era fácil para os membros das Forças Armadas conseguir carona em quase qualquer coisa naqueles dias. Quando falei ao oficial de serviço o que queria, ele deu uma olhadela no uniforme da Marinha e perguntou:

— Para onde você vai?

— Para a Cidade do Cabo, senhor.

— De carona, a viagem toda?

— Sim, senhor.

— Temos um avião que parte dentro de uma hora. Assine estes formulários, e você terá sua carona.

— Quanto tenho de pagar?

— Quanto dinheiro você tem?

— Oitenta centavos.

Ele sorriu.

— Planeja voltar?

— Sim, senhor.

— Muito bem. Se a viagem de ida e volta custa 80 centavos, então só a ida custa 40 centavos. Ele carimbou meus papéis, destacou a minha cópia e a entregou a mim.

Agradeci, fiz continência e me dirigi ao hangar onde o avião estava sendo abastecido. Não demorou muito, e o velho avião militar roncava pela pista, e lá estava eu seguindo em direção ao meu destino.

Em vez de voar diretamente para Cidade do Cabo, rumo sul, o piloto desviou o avião para leste. "Precisamos fazer uma parada na costa", ele explicou. "Ali ficaremos esta noite e amanhã seguiremos para o sul, em direção a East London", continuou. "Precisamos chegar na Cidade do Cabo depois de amanhã."

Assim, naquela tarde, aterrissamos em um aeroporto na costa. Com algum tempo livre a meu dispor, saí à procura de uma boa reunião evangélica. Afinal encontrei uma pequena sala onde um missionário estava tentando evangelizar alguns hindus. Era doloroso constatar a cegueira espiritual em que viviam. Sentado ali, observando o missionário trabalhar com aquelas pessoas, Deus pareceu me dizer: "*Há muitos como estes, que não conhecem a mim nem ao meu poder. Obedece-me e eu te mostrarei uma porta aberta no ministério*".

Posteriormente tive uma agradável conversa com o missionário. Quando soube que eu estava viajando para Cidade do Cabo, ofereceu um quarto para eu passar a noite, o qual, agradecido, aceitei.

Na manhã seguinte eu estava novamente no avião rumo a East London. "Vamos enfrentar vento forte e tempestade", o piloto advertiu. "A estação de rádio de East London diz que há vinte e quatro horas está chovendo torrencialmente por lá, sem nenhum sinal de estiagem." Mas os dois motores roncaram quase o dia inteiro, e o voo foi perfeito.

Entretanto, um pouco mais tarde, ao final do dia, tivemos de atravessar trechos de turbulência cerca de meia hora antes de descermos. O avião sacolejava através das nuvens como um velho ônibus rodando por uma estrada de chão castigada. Por alguns minutos, fomos envolvidos por uma tempestade violenta.

O piloto chamou o rádio do aeroporto quinze ou vinte minutos mais tarde, pedindo instruções para aterrissar, mas nada conseguiu.

— Qual é o problema? — perguntei.

— O bandido do rádio deve ter pifado — ele respondeu, aborrecido. — Teremos de descer às cegas.

Olhei pela janela e nada se podia ver lá fora. Não existia senão um mundo de chuva e nuvens. Aquele era o sexto dia do meu jejum.

— Senhor — orei em silêncio —, não me deixarei perturbar; minha vida está em tuas mãos.

Em poucos minutos rompemos um teto muito baixo e, através de uma chuva incessante, entrevimos uma cidade delineada lá embaixo. O piloto voou em círculo cuidadosamente, duas ou três vezes, tentando localizar o aeroporto.

— Achei-o! — ele disse de repente. — Segure seu chapéu; lá vamos nós!

Durante a descida continuei louvando ao Senhor. Dentro de minutos, estávamos taxiando para fora da pista, sãos e salvos.

— Por que você não tenta alguma outra maneira de chegar à Cidade do Cabo? — o piloto sugeriu. — Tenho um palpite de que nossa parada temporária aqui será longa. A previsão do tempo não promete senão chuva, chuva e chuva para os próximos dias. Não poderemos levantar voo com um tempo desses.

— Muito bem, obrigado — respondi. — Vou ver o que consigo fazer.

O aeroporto situava-se nos arredores de East London. Estava ficando tarde, e eu precisava de um lugar para dormir, por isso fui de carona até a zona residencial da cidade. Ainda chovia quando desci do carro, protegi-me depressa sob o abrigo da entrada de uma pequena loja e orei pedindo orientação. Ao orar, senti minha atenção atraída para uma pequena casa um pouco mais adiante na rua. Disparando pela via debaixo da chuva que me cegava, fui direto àquela casa e bati à porta. Uma mulher de rosto bondoso atendeu.

— Tenha a bondade de entrar! O senhor ficará encharcado!

— Obrigado, senhora, — respondi, entrando. — A senhora é muito bondosa.

— E quem é o senhor? — ela perguntou, curiosa.

— Robert Thom, senhora. Estou viajando de Pretória à Cidade do Cabo.

— E o senhor é da Marinha?

— Sim, mas estou de licença.

— E o que o trouxe à *minha* casa?

— Bem, acho que fui trazido aqui. Como a senhora pode ver, sou um filho de Deus.

— O senhor é? O senhor é um cristão renascido?

— Sim, senhora.

— Bem, então, permita-me oferecer-lhe algo. O que o senhor gostaria de comer?

— A senhora não se ofenderá se eu recusar? Sabe? Hoje não estou me alimentando.

— Não? O que gostaria então de beber?

— Apenas um copo de água fresca.

— Água fresca? Está jejuando?

— Sim.

— É surpreendente que o senhor tenha vindo à minha porta — ela replicou. — Tenho jejuado muitas e muitas vezes. Certa ocasião jejuei durante 45 dias. Já vi grandes respostas a orações por meio do jejum. De fato, quando meu marido se decepcionou e deixou o ministério, orei por sua volta e o fiz jejuando.

— Seu marido é ministro? — perguntei, surpreso.

— Oh, sim! — ela disse. — Ele é pastor da Igreja do Evangelho Pleno aqui em East London. Na verdade, teremos culto hoje à noite. Gostaria de vir conosco?

— Claro que sim, senhora...

— Stevens. Desculpe-me, eu me distraí. O senhor disse que queria água *fresca*?

— Sim, senhora.

— Não — ela disse com bondade —, quando o senhor jejuar, deve beber água *morna*.

— É mesmo?

— Sim, ela ajudará o senhor a manter-se aquecido e eliminará mais rapidamente os venenos de seu corpo. O senhor não terá a metade das dores de cabeça que acometem algumas pessoas quando jejuam.

— Eu nunca soube disso.

— É verdade. Esquentarei uma xícara para o senhor. A propósito, o senhor pode ficar conosco esta noite. — Ela encheu a chaleira e a colocou no fogão. — Agora, me diga — continuou —, o que o levou a seguir o Senhor?

Contei-lhe, então, minha experiência. Falei acerca dos meus dias de orfanato, bem como do meu problema com a bebida e de como o Senhor me havia libertado e batizado no Espírito. Ela ouviu com grande interesse.

— Que testemunho maravilhoso! — exclamou. — O senhor deveria contar essa história em nossa igreja! — Com efeito, quando o marido chegou em casa uma hora depois, ela lhe contou todo o meu testemunho e ele concordou em deixar-me pregar.

Acordei cedo na manhã seguinte. Ainda estava chovendo. Não me agradava enfrentar aquele mau tempo de novo, mas eu tinha de chegar à Cidade do Cabo. Havia uma velha Bíblia sobre a pequena mesa junto à minha cama. Pus os pés fora da cama e alcancei a Bíblia. Parecia ter sido a Bíblia de uma criança muitos anos atrás. Na parte interna da primeira capa, encontrei estas palavras rabiscadas em letra infantil:

Deus é amor.

Deus manda a chuva.

Quando li aquelas palavras, senti vergonha de mim mesmo. "Perdoa-me, Senhor", orei. "Como posso ser tão ingrato? Tens-me conduzido nesta viagem, tens-me encaminhado a amigos, tens-me dado abrigo e tens-me protegido. E até mesmo a chuva é uma dádiva do teu amor."

"*Prossegue hoje em teu caminho*", pareceu-me ouvir o Senhor dizer. "*Ao seguires, ouvirás atrás de ti uma voz dizendo: 'Este é o caminho, anda por ele'.*"

Vesti-me, desci as escadas para agradecer aos Stevens sua bondade, e fui enfrentar a violenta chuva lá fora.

Um pouco mais abaixo na rua, encontrei um abrigo onde me acolhi até conseguir uma carona. Finalmente parou um carro.

— Para onde vai? — gritou o motorista, abaixando um pouquinho o vidro.

— Para Cidade do Cabo.

Não vou tão longe — ele replicou. — Será que Port Elizabeth ajuda? Cerca de 160 quilômetros descendo a costa.

— Com certeza! — exclamei.

— Então, entre.

Pulei para dentro do carro e, vencidos cerca de 160 quilômetros, finalmente deixamos a chuva para trás.

Naquela tarde, achei-me na casa de outro ministro. Este, em outros tempos, havia sido comandante na Marinha e se mostrou grandemente interessado em minha história. Quando lhe contei como Deus havia operado em minha vida, ele disse:

— Por que você não conta essa história em minha igreja, esta noite? — E assim, numa sequência, pela segunda noite Deus me proporcionava oportunidade de pregar o evangelho. Naquela noite o pastor me deu uma cama e um dólar e 40 centavos da coleta.

Na manhã seguinte eu estava na estrada outra vez. O tempo estava bom, por isso andei uma curta distância até um lugar chamado Hotel Green Acres. Havia um bar ali e me ocorreu a ideia de entrar e ver se podia testemunhar a alguém.

Ao entrar, constatei que o bar estava abrindo naquele momento. Na verdade o balcão ainda estava coberto de garrafas de cerveja da noite anterior, algumas cheias, outras pela metade.

— Em que posso servi-lo, companheiro? — o garçom perguntou.

— Qual a distância para Cidade do Cabo? — eu perguntei por minha vez.

— Cerca de 800 quilômetros. Você está viajando de carona?

— Sim. Parece que tenho um bocado de viagem pela frente ainda.

— Não há dúvida. Que tal um drinque para a estrada?

— Não, obrigado — respondi. — Deixei de beber. Já bebi o bastante.

— Ninguém jamais bebe o bastante, camarada.

— Eu já. Saiba que, alguns anos atrás, eu secaria cada garrafa neste lugar.

— Você *faria* isso? O que aconteceu com você?

— Eu me converti.

— Converteu? — ele fungou. — Que negócio é esse?

Então lhe contei. A história toda. Falei, falei. Depois de haver lançado toda a semente do evangelho naquela mente, algo fora do comum aconteceu.

Tive uma visão. Era tão real que parecia fantástica. Era como um sonho, embora meus olhos estivessem bem abertos. Vi um Pontiac verde vindo para o Hotel Green Acres. Vi a mim mesmo, de pé à margem da estrada, pedindo carona. A seguir, o Pontiac verde chegou, parou e me levou até a Cidade do Cabo. Então, de súbito, da mesma forma que havia aparecido, a visão se desvaneceu.

Aquilo me impressionou. Entendi que Deus estava dizendo para eu seguir o meu caminho, por isso falei ao garçom:

— Bem, acho melhor ir andando; um Pontiac verde vem me apanhar e me levar à Cidade do Cabo.

— Ah, você combinou com alguém para apanhá-lo?

— Não. Deus acaba de dizer-me que um Pontiac verde vem chegando.

— Você deve estar brincando.

— Não, não estou brincando.

— Então você está louco.

— Não! É melhor eu ir. O Pontiac está próximo.

— Está mesmo? — ele disse, olhando-me com ar de quem duvida.

Está sim! — gritei, saltando para a calçada, em busca do portão. Eram cerca de 100 metros a percorrer até a estrada. No instante que ultrapassei o portão, o Pontiac verde parou!

— Aonde você vai? — o motorista perguntou.

— À Cidade do Cabo.

— Desculpe-me, mas vou só até Humansdorp, mas entre. Eu o levo até lá.

Humansdorp ficava apenas a 100 quilômetros de distância. Tomei lugar no assento traseiro, um tanto confuso por causa da visão, mas querendo descobrir por que o motorista me daria uma carona de apenas 100 quilômetros. De acordo com a visão, aquele Pontiac devia me levar a viagem toda até a Cidade do Cabo.

Um homem distinto estava sentado no banco traseiro, ao meu lado. Logo que entrei, ele olhou para mim e disse:

— Eu o *conheço*.

— Não, o senhor não me conhece.

— Conheço, sim. Você tem um irmão chamado Harold, não tem?

— Sim, certamente, eu tenho.

— Onde ele está?

— Na Austrália. Ele é artista.

— Como vai sua irmã, Ethel, e seu irmão Cecil, e sua irmã, Rene?

— Estão todos bem. De onde o senhor os conhece?

— Ora, eu nasci em Oudtshoorn. Frequentei a escola com a família Thom. Qual dos irmãos você é?

— Eu sou o caçula, Robert.

Ele riu e riu.

— Não é formidável? — exclamou. — E, agora, você está na Marinha! Aonde disse que vai?

— À Cidade do Cabo.

— Muito bem, então, à Cidade do Cabo iremos!

— Mas é uma longa distância fora do seu destino...

— Ora! É o mínimo que podemos fazer por um velho amigo.

Assim, naquela mesma noite eu cheguei à Cidade do Cabo.

Não levei muito tempo para encontrar a casa de Ken Sawyer. Ele e a mulher, Peggy, ficaram contentes em me ver. Expliquei-lhes como Deus vinha agindo comigo acerca de um ministério e de como me senti inclinado a vir à casa deles para alguns dias de oração e jejum.

— Irmão Tommy — Ken disse com calor —, a casa é sua. Você pode orar quanto tempo quiser.

— Meu Senhor! Você deve estar faminto depois de viajar o dia inteiro! — Peggy falou. — O que posso preparar para você?

— Apenas um copo de água morna.

— Oh, você já está começando seu jejum?

— Sim — respondi. — É importante (Não lhes contei que já estava no oitavo dia do jejum.).

Os dias de oração que se seguiram foram muito preciosos para mim. Eu me tornava mais e mais sensível à vontade de Deus. Passava hora após hora de joelhos em louvor e adoração. Sentia que era quase como se estivesse em outro mundo.

Todavia, no 12º dia do meu jejum, comecei a sentir muita fome. Ken e Peggy estavam na sala, e eu estava sentado na sala de jantar, lendo um pouco. De repente, fui acometido por terríveis cãibras estomacais. Dobrei-me sobre a mesa e apertei o estômago, esperando que as cãibras passassem em alguns segundos. Mas, tão depressa uma cãibra passava, outra já aparecia. Peggy poderia preparar-me uma sopa, mas eu tinha certeza de que Deus me ordenara jejuar por duas semanas, e não quis desobedecer.

— Oh, Deus, tu tens de alimentar-me! — Orei entre dentes. — Tu *tens* de alimentar-me agora.

Logo depois que fiz essa oração, meus "olhos" espirituais se abriram e vi um anjo alto diante de mim segurando uma grande cornucópia cheia de frutos. A princípio pensei estar sendo vítima de uma alucinação. Fechei os olhos, inclinei-me contra o espaldar da cadeira e tentei relaxar. Mas, quando abri novamente os olhos, o anjo continuava ali.

Talvez fosse uma visão. Estou mais inclinado a pensar desse modo, considerando a natureza do que ocorreu entre mim e aquele anjo. Não trocamos uma única palavra, mas instintivamente eu "soube" que os frutos que enchiam a cornucópia eram para mim, e que tudo o que deveria fazer era abrir a boca e ser alimentado. Então, atirei a cabeça para trás e abri bem a boca.

Imediatamente o anjo se colocou ao meu lado e deixou cair os frutos da cornucópia na minha boca. Ele sacudia mais, e mais frutos caíam, mas não havia necessidade de mastigar. Eu sentia aqueles "frutos" derreterem-se na boca e descerem pela garganta. Eram doces e suculentos. Quando o anjo havia deixado cair todos os frutos da cornucópia, virou-se, deu dois ou três passos na direção da cozinha e subitamente desapareceu.

Por alguns instantes fiquei ali sentado em êxtase. Então comecei a me sentir realmente bem. As cãibras desapareceram. Era como se houvesse feito uma farta refeição! Uma sensação tão tremenda de bem-estar me envolveu, que eu comecei a rir no Espírito. Eu ria tanto que não pude conservar-me sentado.

Escorregando da cadeira, pus-me à vontade no chão, debaixo da mesa, e ri e ri e ri, a ponto de lágrimas de alegria correrem dos cantos dos meus olhos e descerem pela minha face.

A essa altura, Ken e Peggy ouviram a agitação toda e estavam na porta da sala de jantar, fitando-me um tanto espantados.

— O irmão Tommy está sendo realmente abençoado! — Ken falou.

— Misericórdia! — Peggy replicou. — É contagioso?

— Assim espero — Ken respondeu.

Ainda rindo, engatinhei, saindo de debaixo da mesa, e me dirigi à cozinha, cambaleando como se estivesse embriagado. Eu estava ébrio do Espírito.

— Louvado seja o Senhor, Tommy! — Ken gritou.

Nesse momento, outra onda de glória me atingiu. Sentei-me à mesa da cozinha e ri tanto que mal podia respirar. De novo, incapaz de manter-me na cadeira, escorreguei para o chão, rindo e orando em línguas.

Quando finalmente me acalmei, algum tempo depois, já não sentia mais dor nem fraqueza. Sabia que, àquela altura, podia encerrar meu jejum.

Quando o 14º dia chegou, eu já sabia por que Deus me ordenara que viesse à Cidade do Cabo. O poder do Espírito de Deus estava sobre mim de uma nova forma. Por meio daqueles repetidos períodos de oração, Deus havia revelado que queria me usar junto às pessoas necessitadas do Cabo, e eu estava pronto para começar a trabalhar nesse ministério.

— Amado Deus — eu disse —, se podes usar este marinheiro, então sou teu pelo resto da vida.

9
Mas Deus me disse, senhor!

Quando retornei para casa em Pretória, foi difícil esperar para dar as boas notícias a Joyce e às crianças.

— Vamos voltar para Cidade do Cabo — anunciei. — Deus reservou um ministério para mim entre as pessoas pobres dali.

As crianças deram vivas e Joyce começou a chorar. "Você está falando sério acerca do ministério, não está?", ela perguntou, chorosa. " Oh, Bob, estou tão contente!"

Assim, quando voltei à base, fui falar com meu oficial superior, o comandante Johnson (hoje, almirante de esquadra), a respeito de minha transferência da base da Marinha para a do Exército em Cidade do Cabo. Não tendo feito curso formal para o ministério, não me pareceu oportuno afastar-me, de imediato, das Forças Armadas; mas, se eu pudesse regressar à Cidade do Cabo, isto representaria um passo na direção certa. Eu não tinha nenhuma razão particular para transferir-me da Marinha para o Exército, a não ser uma vaga sensação de que uma mudança seria melhor para mim.

Era 22 de outubro de 1948. Como eu antevia, o comandante recusou a permissão para a transferência, mas disse que a decisão final seria tomada pelo Comando Naval, em Durban. Disse que me avisaria tão-logo recebesse qualquer comunicação. Enquanto isso, eu dispunha de tempo bastante para jejuar e orar acerca da minha próxima mudança.

Um dos grandes problemas, eu sabia, seria conseguir uma casa para minha família. Quase todas as casas vazias do Cabo foram requisitadas pelo governo a fim de prover moradia para os milhares e milhares de militares casados ali designados. Mas, ainda assim, não havia casas suficientes para todos, e o Escritório do Governo para Alojamento tinha longas listas de espera. E, mesmo quando se *conseguia* uma casa, nunca era como se esperava. Simplesmente se aceitava a que estava disponível e pronto.

Dessa forma, percebi o quão inexequível era o meu pedido quando comecei a orar por uma casa no bairro de Seapoint, na Cidade do Cabo. "Senhor", eu disse, "parece quase impossível do ponto de vista humano!", continuei. "Mas eu me lembrei de como o Senhor havia falado: 'Tudo o que vocês pedirem em oração, creiam que já o receberam, e assim lhes sucederá'" (Mc 11.24). Portanto, de acordo com tudo o que Deus me vinha ensinando a respeito da fé, comecei a dar-lhe graças por uma casa.

Finalmente, por meio de alguns amigos na Cidade do Cabo, eu soube de uma bela casa que estava disponível na Burnham Road, 14, em Seapoint. "*É essa*", parecia que o próprio Deus estava me dizendo. "*Essa casa é sua se você a reivindicar em nome de Jesus!*"

Por isso eu sabia que precisava ser bem definido em minha fé e começar a orar a Deus por aquela casa, bem como pela necessária permissão do Comando Naval para transferir-me para o Exército.

Durante um mês aguardei o aviso acerca de minha transferência, mas nada recebi. Assim, em 22 de novembro, às duas da tarde, dirigi-me ao escritório do tenente Quixley, meu oficial superior.

— Senhor — falei —, desejo saber qual foi o despacho dado ao meu requerimento solicitando transferência para o Exército.

— Foi indeferido — ele respondeu secamente.

— Mas, senhor — insisti —, Deus me disse que eu devia voltar à Cidade do Cabo e que eu devia estar no trem dia 22 de dezembro.

— *Quem* lhe disse?

— Deus, senhor.

— Pois sim! — ele bufou. — Ainda está por vir o dia em que a Marinha Sul Africana receberá ordens de Deus!

Logo que ouvi aquilo, voltei ao meu escritório, peguei o telefone e disquei para a Estrada de Ferro Sul-Africana.

— Aqui é o suboficial Robert Thom, da Marinha Sul-Africana — falei em voz alta. — Faça o favor de reservar passagens para mim, para a sra. Thom e para cinco filhos no trem das oito da noite de 22 de dezembro para Cidade do Cabo.

Telefonei, a seguir, para três diferentes companhias de mudanças procurando o frete mais barato para o transporte de meus móveis. O preço mais baixo era da Companhia de Mudanças Norman Spencer, e eu dei instruções para que meus móveis fossem expedidos em 22 de dezembro, à custa do governo, para a Arthurs Road, 40, Seapoint, Cidade do Cabo, que era o endereço da Missão da Fé Apostólica, igreja anteriormente frequentada por nossa família. (O pastor Crompton me havia dito previamente que poderia guardar nossos móveis quando fosse preciso.)

Assim que terminei meus telefonemas, o tenente Quixley apareceu na minha porta!

— Tom, você está preso por insubordinação — ele vociferou. — Você não tem o direito de reservar lugar naquele trem!

— Mas Deus me disse, senhor...

— Não me interessa *o que* Deus disse a você! Sua transferência não foi aprovada e, por isso, você não tem o direito de fazer a reserva!

— Está bem — concordei. — Se é assim que tem de ser, assim será. — Pus o assunto de lado e deixei o tempo correr.

No entanto, um mês depois, no dia 20 de dezembro, voltei ao escritório de Quixley.

— Senhor — falei —, hoje é segunda-feira e, depois de amanhã, estarei pegando o trem para Cidade do Cabo.

— Ouça, Thom — ele replicou, procurando controlar o mau humor —, pensei que já tivéssemos resolvido esse problema. Você não cancelou aquelas reservas?

— Não, senhor, Deus não me permitiria.

— Vá para o inferno, Thom! — ele berrou. — Em que espécie de lugar pensa você que estamos vivendo? Você está preso por insubordinação!

Eu sabia que ele estava falando sério desta vez. De imediato ele me conduziu ao Comando Geral, ao Gabinete do Comandante Johnson e apresentou queixa contra mim.

— Muito bem, Thom — o comandante falou calmamente —, o tenente está certo. Você está preso por insubordinação e desobediência a seu oficial superior.

— Eu não tive a intenção de insubordinar-me, senhor.

— Então, como é que você sabe que vai para Cidade do Cabo? E como é que você sabe que vai conseguir transferência?

— O Senhor Deus me disse, senhor. Estive jejuando e orando, e Deus me disse que eu partiria — e eu *parto* naquele trem.

Ele me olhou estupefato.

— Thom — ele continuou —, ainda que você consiga a transferência para o Exército, como pode ter certeza de que o mandarão para Cidade do Cabo?

— *Deus* me disse, senhor.

Meneando a cabeça, o comandante se sentou. Então, em um tom de voz de quem se sentia vencido, falou:

— Tenente, pegue aquele telefone e ligue para a base Durban; veja o que aconteceu com o pedido de transferência deste homem para o Exército. Se tiver sido concedida, diga-lhes que telefonem informando.

Diante disso, sentei-me ali, no gabinete do comandante, esperando e orando. Eram 4 horas e 20 minutos quando o telefone tocou. Eu podia dizer, pela maneira zangada com que o comandante falava, que minha transferência havia sido concedida. Após breve discussão, o comandante desligou, batendo com força o receptor.

— Saia daqui, Thom! — ele gritou. — Agradeça à sua boa estrela, você conseguiu a danada da transferência!

— Minha boa estrela, não, senhor. — repliquei — Dou graças a meu Senhor e Salvador Jesus Cristo!

Na manhã do dia 22 (dia que tínhamos marcado a viagem para Cidade do Cabo) dirigi-me ao Aquartelamento do Exército para receber minhas ordens. Tive de preencher uma porção de formulários e, por fim, me encontrei no escritório de um dos oficiais em comando.

— Nós o estamos transferindo para um acampamento na Cidade do Cabo — ele começou. Meus dedos começaram a formigar de empolgação.

— Entretanto — ele continuou — devido às férias e aos feriados natalinos, não temos condições de colocá-lo no trem nos próximos 30 dias, por isso você terá de esperar aqui em nosso acampamento.

— Mas senhor — eu disse —, e se eu tivesse passagens reservadas?

— Nesse caso você poderia partir esta noite.

— Então aqui estão elas, senhor — exclamei, puxando as reservas do bolso.

Ele deu uma olhadela rápida e observou:

— Onde estão sua mulher e seus filhos?

— Bem, suponho que, a esta hora, o táxi já os tenha levado à estação de Pretória, e lá estejam à espera de suas passagens.

— Mas nem tudo é assim tão fácil — o oficial disse. — E a sua mobília? Você precisa obter três tarifas e a mudança tem de ser feita por conta do governo.

— Eu sei — repliquei sorrindo. — Cuidei de tudo quando ainda estava na Marinha. — E saquei meus papéis para mostrar-lhe que todas as providências para a mudança estavam prontas. — De fato — continuei —, a Companhia de Mudanças Norman Spencer retirou meus móveis às oito horas desta manhã. Está tudo no trem, a caminho da Cidade do Cabo.

O oficial estava mais do que atônito.

— As coisas não são assim tão simples no Exército — ele zombou. — Deve haver algo errado em algum lugar.

No entanto estava tudo em ordem. Assim, eles me alistaram e me entregaram o uniforme, e dentro de 35 minutos eu estava oficialmente transferido para o Exército Sul-Africano.

Naquela noite, às oito horas, nossa família inteira embarcava no trem para Cidade do Cabo, e, dois dias depois, na manhã da quinta-feira de 24 de dezembro, chegava ao seu destino. Antes de nos levantarmos, curvamos a cabeça e oramos a Deus por nossa casa em Burnham Road, 14.

Ken e Peggy Sawyer estavam na estação para saudar-nos e nos levaram para sua casa, onde ficamos durante os feriados natalinos. No dia seguinte ao Natal, sábado, fomos ao Escritório do Governo de Controle da Habitação e eu apresentei meu requerimento solicitando uma casa. Disseram-me que era impossível, que havia milhares de pedidos na lista de espera, pedidos anteriores ao meu. Além do mais, na quarta-feira, 30 de dezembro, o Decreto de Habitação do Governo caducaria e não haveria mais moradia disponível através daquela agência. Eram más notícias. Eu não tinha condições de comprar uma casa e o controle de habitação parecia ser minha única esperança.

Apesar de tudo, eu me negava a desanimar. Deus havia me prometido uma casa, não havia? Eu estava certo de que podia depender de sua palavra. Assim, no domingo 27 de dezembro, fomos juntos à Missão e testificamos que Deus nos daria uma casa.

Na quarta-feira, 30 de dezembro, eu ainda não havia recebido nenhuma notícia do Escritório de Controle da Habitação do Governo. Às 5h da tarde daquele dia, o escritório seria fechado definitivamente. Oramos e oramos o dia todo, mas as 5h chegaram e se foram, e nada aconteceu. Nós, porém, continuamos orando.

Quando o jornal da tarde chegou, li com enorme interesse uma notícia a respeito do Escritório de Controle da Habitação. Dizia que o último ato oficial fora requisitar uma casa dentro do estabelecido pelo Ato do Governo e cedê-la a um soldado do exército. Uma carta havia sido enviada a esse soldado, despachada cinco minutos antes das 5h, acrescentava a nota. O nome do soldado não fora fornecido.

Dois dias depois, quando abri a correspondência, lá estava a carta. Nós tínhamos uma casa, na Burnham Road, 14, Seapoint, Cidade do Cabo, tão próximo da Missão que se podia ir a pé até lá, e a 200 metros da casa onde eu havia sido salvo.

— LOUVADO SEJA O SENHOR! — gritei. Joyce, Ken e Peggy vieram correndo, com os meninos atrás. — O que aconteceu? — eles perguntaram em coro.

— Conseguimos uma casa! — anunciei.

— Maravilhoso! Louvado seja o Senhor! Aleluia! — todos gritaram.

O jovem Drummond olhou para nós um tanto intrigado. — Por que todo mundo está tão surpreso? — ele perguntou inocentemente. — Deus sempre cumpre suas promessas, não cumpre?

10
Na folha de pagamento de Deus

Apesar da rápida sucessão de eventos em 1948, tudo pareceu calmo durante os dois ou três anos seguintes, isto é, no que dizia respeito ao meu chamado para o ministério. Foram tempos difíceis para mim. Eu não podia compreender o que Deus pretendia em relação à minha vida. Seria eu muito imaturo? Precisava de preparo? Ou, quem sabe, estava enganado quanto ao "chamado" para a obra de Deus?

O trabalho na base do Exército corria bem. Eu era intendente de uma Unidade de Engenharia e tinha a meu cargo toda a folha de pagamento. Além disso, era responsável por todos os depósitos do quartel, o que representava um controle de materiais no valor de milhões de dólares por ano. Era um tremendo desafio distribuir nossas tropas pelos nossos mais de 300 edifícios e manter os homens supridos com roupas e equipamentos. Mas me agradava o desafio de enfrentar uma tarefa difícil.

Todavia, o serviço na base não podia tomar o lugar de um ministério integral dedicado a Jesus Cristo. Assim, sentindo certo desalento, continuei orando para que Deus me mostrasse o que fazer.

Outra coisa que começava a me deprimir era o crescente ceticismo de Joyce acerca do batismo no Espírito. Eu não havia tomado conhecimento desse problema até nos mudarmos para Seapoint. Desde sua conversão, Joyce se mostrava uma cristã entusiasta e, embora eu tivesse recebido o batismo antes dela, estava confiante de que ela logo receberia esta mais profunda experiência. Mas, depois de termos frequentado a Missão por algum tempo, suas dúvidas começaram a revelar-se.

— Você sabe — ela me disse um dia —, Deus me perdoe se eu estiver errada, mas é difícil aceitar algumas das coisas que eles pregam na Missão.

— O quê? — falei, um tanto surpreso. — O que você quer dizer?

— Bem, esse negócio de cura, por exemplo. Não quero ser cética, Bob; você sabe que eu amo o Senhor, mas, se Deus ainda hoje opera milagres, então por que *você* não está curado?

— Não sei — respondi —, mas Deus realiza curas hoje. Lembra o que lhe contei sobre Hope Anderson e como Deus a curou da distrofia?

— Sim, isso foi notável, mas por que não funcionou com você?

— Eu não sei. Deus deve ter suas razões.

— Sim, é isso o que eles dizem lá na Missão.

— E o que mais *podem* eles dizer?

— Podiam ser honestos e admitir que talvez estejam errados a respeito da cura, e de algumas outras coisas.

— Outras coisas? Como por exemplo...?

— Como, por exemplo, essa conversa acerca do batismo no Espírito.

— Mas, Joyce, por que você sempre precisa duvidar disso?

— Justamente porque eu não vejo nenhuma evidência de todo esse *poder* do qual eles estão sempre falando — ela replicou. — Eles *falam* do poder de testemunhar, mas dificilmente alguém se salva. Eles *falam* do poder de curar os enfermos, mas ninguém é curado. Bob, é difícil acreditar em um poder que não opera.

— Mas você precisa admitir que o batismo tem produzido enorme mudança em muitos deles — fiz questão de lembrá-la.

— É verdade — ela disse olhando-me diretamente nos olhos. — Nisso devo concordar com você. Todos os batizados no Espírito agora batem palmas e gritam aleluia; mas, Bob, não é esse o poder que *Jesus* mencionou!

Puxa! De algum modo, eu sabia que ela estava certa. Sentei-me ali, em silêncio, pensando no meu próprio batismo no Espírito na casa de McQuade. Embora tivesse sido uma experiência gloriosa, eu precisava admitir que não estava inteiramente satisfeito com o poder que vinha se manifestando em minha vida desde aquela experiência. Algo estava bloqueando o *pleno fluxo* do poder do Espírito Santo, mas eu não era capaz de encontrar a chave para esse mistério. Fui para a cama naquela noite um tanto desanimado. Eu mal sabia quão perto estava de encontrar a resposta.

No outono de 1951, soube que havia sido indicado para uma promoção na base. Isso significava que logo estaria ocupando o mais alto posto em nossa unidade. Se Deus me queria no ministério, eu não podia compreender por que ele me abençoava tanto no Exército.

Quase na mesma ocasião, as pessoas da Missão estavam tentando decidir quem mandariam como delegado à grande convenção a realizar-se no Maranatha Park Camp Grounds, em Joanesburgo, 1.500 quilômetros ao norte. Como eu era vice-presidente da mocidade e tinha uma semana de férias a gozar em outubro, na mesma semana da convenção, aprovaram uma verba de 25 dólares para enviar-me como delegado. De acordo com o que o pastor Crompton me disse, eu participaria de uma dupla festa espiritual. A convenção da mocidade devia encerrar-se na quinta-feira à noite, e o Reavivamento Espiritual de Cura Bosworth teria início na sexta-feira no mesmo auditório.

Teria sido uma bênção se toda a minha família pudesse ter ido, mas tínhamos seis crianças naquela época, e a viagem ficaria muito dispendiosa. Por isso, Joyce concordou em ficar em casa enquanto eu fazia a viagem a Joanesburgo.

Eu já ouvira muito acerca do maravilhoso ministério de cura de F. F. Bosworth, autor do livro *Christ the healer* [Cristo, o que cura]. Muitas pessoas diziam que milagres inacreditáveis ocorriam em seus cultos, como cegos que passavam a enxergar, surdos que passavam a ouvir e aleijados que passavam a andar. Eu estava ansioso por verificar se o que ouvira era realmente verdade. Quem sabe? Talvez até eu mesmo fosse curado da asma!

Quando cheguei à área dos acampamentos, o Maranatha Park Auditorium estava vibrando de emoção. Era uma enorme construção de chapa ondulada com os quatro lados abertos, construída especialmente para convenções religiosas. O edifício se vangloriava de poder receber 9 mil pessoas sentadas, contando as cadeiras na ampla galeria. Que tremenda sensação ver jovens cristãos de toda a África do Sul enchendo o grande tabernáculo!

Na quinta-feira à noite, o presidente da reunião avisou a todos os que planejavam ficar o resto da semana para o Reavivamento Bosworth que tratassem de chegar cedo se quisessem ocupar bons lugares. Por isso, na tarde de sexta-feira, dirigi-me ao auditório e sentei-me em uma cadeira na segunda fila, bem à frente. Se aquelas curas eram reais, eu queria vê-las bem de perto. Não que estivesse duvidando, como Tomé. Mas, depois de minhas conversas com Joyce, eu *precisava* saber a verdade.

"Senhor", falei, "a cura divina opera ou não opera? Se ela opera (e assim eu creio), espero que não te importes que eu fiscalize tão de perto a tua ação!".

O culto só estava programado para começar à noite. Mas, olhando ao meu redor, notei que não era o *único* que viera tão cedo. Na realidade, várias centenas de pessoas já se espalhavam pelo auditório e mais gente continuava chegando. Na hora de começar o culto, todos os lugares estavam tomados, e a multidão excedente se espalhava sobre a grama em torno do auditório aberto. O espaço diante de mim, entre os assentos e a plataforma, estava repleto de cadeiras de roda e macas. O organista tocava hinos evangélicos conhecidos.

O culto começou com todos aqueles milhares de pessoas elevando as vozes em um hino. Mais tarde, o evangelista auxiliar pregou um breve sermão. E, depois que o evangelista terminou sua mensagem, e nós orávamos em silêncio, o Espírito Santo começou a mover-se, com grande poder, sobre aquela congregação. Eu ouvia pessoas soluçando à minha volta. A primeira coisa que constatei foi que eu também estava chorando! As lágrimas corriam pela minha face e pingavam na minha camisa. Era como se eu estivesse sendo lavado, por dentro e por fora, pelo poder de Deus. E, em seguida, Deus falou daquele modo peculiar que não posso explicar: "*Robert, esta noite eu chamo você para trabalhar para mim em tempo integral. Chamo você para abandonar toda a segurança terrena e pregar meu evangelho, proclamar a mensagem de libertação, levar o evangelho aos pobres, curar os enfermos, expulsar demônios.*"

Num lampejo, vi o que vinha me impedindo de andar no Espírito. Fazia três anos que Deus esperava por minha decisão. Eu iria ou não me dedicar ao seu serviço, com fé e obediência, em tempo integral?

Por alguma razão, eu imaginava que, quando Deus quisesse que eu deixasse o Exército, ele tramaria as condições para que eu me sentisse *compelido* a efetuar a mudança. Mas, agora, eu via tudo sob nova luz. Deus não me *forçaria* a sair; se eu deixasse o Exército, seria por minha própria escolha. Deus havia me chamado. Cabia a mim dar o passo de fé e responder ao seu convite.

Pensei em Abraão deixando Ur dos caldeus. Deus não o obrigou a mudar-se, não é mesmo? Ele simplesmente revelou sua vontade, e coube a Abraão decidir dar ou não aquele drástico passo de fé e deixar Ur.

Nesse momento, percebi com certo constrangimento que essa era a mesma lição que Deus me havia ensinado muitas vezes. Ele queria que eu andasse pela fé. Mas não andaria em meu lugar. Se me dispusesse a andar, ele abriria o caminho diante de mim. Mas, se insistisse em ficar parado, nada aconteceria.

Chorei muito. Eu sabia que a hora da decisão havia chegado.

"Senhor", falei, "minha mulher está a 1.600 quilômetros daqui. Ela não entende estas coisas. Ela não compreende o batismo no Espírito. Mas, se esta é a tua voz falando a mim, minha disposição é ser obediente. Abandonarei minha posição na base e te seguirei".

Eu estava ciente da seriedade do que estava dizendo. Deixar um bom emprego e dispor-se a servir a Deus sem garantia de nenhuma espécie de remuneração pareceria uma loucura, especialmente para Joyce. De fato, uma decisão como essa poderia facilmente prejudicar minha família, a menos que o Senhor realmente fizesse parte da decisão. E *isso* eu devia verificar com certeza. Não podia haver enganos.

"Senhor", falei de novo, "decidi descobrir se esta é realmente a tua voz me falando, e não apenas uma ideia minha. Por isso, como um sinal para mim, peço-te que batizes Joyce no Espírito Santo e que isso aconteça logo; que seja em uma tarde de sexta-feira. Então terei certeza de que tu falaste".

Eu sabia quão facilmente as pessoas podem enganar-se no que diz respeito à orientação. E certamente Deus não se incomodaria se eu fizesse uma pequena verificação dupla. Afinal de contas, eu já havia visto muitas pessoas correndo atrás de sombras e cometendo sérios enganos.

Foi então que Bosworth, com seus 74 anos de idade, levantou-se e começou a falar. Era um homem alto, cheio de dignidade, que já havia ministrado a milhões. Durante alguns minutos ele falou àquela multidão de 10 mil pessoas acerca do poder de Jesus.

"Agora", ele prosseguiu, "há aqui nove pessoas que sofreram operações de mastóide. Alguns de vocês estão parcialmente surdos, outros estão totalmente surdos. Onde vocês estão? Fiquem de pé, se puderem me ouvir. Ou, se alguém está sentado junto a uma pessoa surda, traga-a à frente".

Logo nove pessoas surdas ou parcialmente surdas estavam de pé na frente daquele grande auditório. Bosworth desceu e colocou as mãos sobre elas, uma por uma.

— Tu, Demônio surdo, sai desta mulher em nome de Jesus! — ele ordenou. No mesmo instante, a mulher levantou os olhos, maravilhada, e disse:

— Eu posso ouvir! Eu posso ouvir! — A assistência prendeu a respiração. Cada uma daquelas pessoas começara a ouvir. Em cada caso, Bosworth gastou algum tempo para testar os resultados após a oração, de modo que todos os presentes pudessem ver o que havia acontecido. E isso foi feito noite afora, pois muitos outros milagres aconteceram. Quando o culto chegou ao fim, eu sabia, sem dúvida alguma, que Deus *realmente* opera milagres hoje.

Na noite seguinte, eu me sentia como se pudesse confiar em Deus para qualquer coisa! Quando chegou o momento de orar pelos enfermos, sentei em meu lugar e orei com o evangelista. De repente, surgiu uma agitação à minha frente.

"*O que está acontecendo aqui?*", perguntei a mim mesmo, levantando rapidamente os olhos. Vi, então, duas mulheres que, com as costas quebradas, haviam sido trazidas em macas. Ambas se puseram de pé e começaram a louvar a Deus, uma abraçando a outra e dançando de alegria! Um cidadão que usava uma bota ortopédica com suporte de ferro, arrancou o suporte e viu sua perna crescer 6 centímetros! Nessa ocasião, as pessoas começaram a gritar e a bradar em todo o auditório. Alguns que tinham as juntas das pernas enrijecidas começaram a andar para cá e para lá nos corredores. Outros, antes incapazes de ver, exclamavam: "Eu posso ver! Eu posso ver!" Todos choravam. Eu jamais havia visto tal onda do poder curador de Deus. *Ninguém* havia visto. Logo muitas pessoas se levantaram de seus lugares e foram à frente para orar. Antes que o culto terminasse, quase duas mil pessoas haviam sido salvas.

No sábado à noite ocorreram muitos milagres. Mas, para mim, a coisa mais empolgante foi o anúncio de que Bosworth estaria na Cidade do Cabo no fim de semana seguinte. "Louvado seja o Senhor!", murmurei. "Levarei Joyce! Se *isso* não a convencer, *nada* o fará!"

Antes de deixar o auditório aquela noite, abri caminho com dificuldade através da multidão, esperando apertar a mão de Bosworth. Mas parecia que todo mundo tivera a mesma ideia e, por isso, tive de esperar em uma longa fila.

"Isto não passa de perda de tempo", pensei. "O máximo que conseguirei será um 'Deus o abençoe'".

Não obstante, quando finalmente cheguei diante de Bosworth, ele agarrou minha mão, apertou-a calorosamente como se eu fosse um velho amigo e começou a fazer perguntas a meu respeito. Quando eu lhe disse que Deus me chamara para um ministério entre os pobres da Cidade do Cabo, ele demonstrou grande interesse.

— Irmão, você poderia vir aos Estados Unidos um dia destes — disse. — Poderíamos juntos fazer algumas coisas fantásticas.

— Bem que eu gostaria — respondi, um tanto surpreso com a sugestão.

— E eu também — ele disse. — Gosto de encaminhar jovens ao ministério. Isso é tão importante para mim quanto as grandes cruzadas.

— Irmão Bosworth, pode contar com isso — respondi. — Um dia destes irei aos Estados Unidos para visitá-lo.

— Ótimo! — ele falou, sorrindo. — Eu gostaria muito de preparar outro "Timóteo!".

"Imagine!", disse a mim mesmo ao afastar-me de Bosworth. "Ele realmente quer *me* ajudar!"

Viajei de volta à Cidade do Cabo, mais seguro que nunca de que Deus me havia chamado para o seu trabalho. Quando cheguei em casa, fui entrando porta adentro, ansioso por contar a Joyce tudo o que eu havia visto em minha breve conversa com Bosworth.

— Você precisava ver o que eu vi — comecei a falar impulsivamente. — Este companheiro Bosworth é o maior que já encontrei, e ele estará na Cidade do Cabo no fim de semana. Você vai ouvi-lo?

— A sua asma sarou? — ela perguntou.

— Bem, não, mas uma porção de gente foi curada.

— É isso o que eu não entendo. Todo o mundo é curado, menos você.

— Mas eu *serei* curado — respondi. — Se Deus tem feito isso por outros, fará por mim também.

— Talvez.

Quando Bosworth chegou à cidade, Joyce concordou em ir. Acho que estava ansiosa por ver o que me havia emocionado tanto. Chegada a hora, ela aprontou os meninos e saímos para o culto. O poder de Deus se manifestou tal como em Joanesburgo. Joyce mostrou-se muito interessada. Quando voltamos para casa, perguntei-lhe:

— Então, o que você acha?

Lágrimas brotaram de seus olhos.

— Foi lindo ela falou — Muito lindo! — Mas, bem depressa, a campanha chegou ao fim, e Bosworth se foi.

— Joyce — falei —, tenho a sensação de que isto é apenas o começo do que Deus quer fazer nesta cidade.

— Sim — ela respondeu. — Gostaria de saber se algum dia voltará aqui.

— Não sei — respondi —, mas, mesmo que ele não volte, a obra de Deus precisa ser levada avante.

— Sim, mas como?

— Vou escrever algumas cartas: a T. L. Osborne, ou a Oral Roberts, ou, quem sabe, a Billy Graham. Eu os convidarei para que venham à Cidade do Cabo e realizem campanhas aqui.

E foi isso o que fiz. Mas todos eles me responderam que estavam seriamente comprometidos por um longo tempo. Então, em uma quarta-feira, Deus me falou com uma gentil reprimenda: "*Vá você mesmo. Não o chamei para pregar meu evangelho?*".

— Senhor, perdoa-me — falei. — Eu o farei, mas não deixo meu emprego na base enquanto não batizares Joyce no Espírito. Fizemos um trato, lembras, Senhor?

No entanto, eu sabia que precisava obedecer a Deus se quisesse ter um relacionamento com ele. Por isso, naquela noite, engatei um pequeno gerador à traseira de um caminhão emprestado, dirigi-me a um bairro pobre e comecei uma reunião de avivamento ao ar livre. Como não havia eletricidade naquela área, as luzes elétricas se constituíram em uma atração. Uma menina surda-muda de 9 anos de idade foi trazida à reunião. Em nome do Senhor Jesus Cristo, expulsei o espírito da surdez.

Quando as luzes foram desligadas e estávamos prontos para ir embora, vi um homem com sua mulher e cinco filhas, todos vestidos de branco, correndo pelo campo. O homem estava muito agitado.

— Senhor — ele falou —, eu sou o pai da menina surda-muda por quem o senhor orou esta noite. Nós somos hindus. Minha filhinha tem 9 anos, e eu nunca a ouvi falar até esta noite. Eu sei que o senhor orou por ela em nome do seu Deus, o Senhor Jesus Cristo. — Aquele homem, sua mulher e as cinco filhas se ajoelharam e aceitaram Jesus como seu Salvador pessoal.

As reuniões cresceram cada vez mais até que, em três semanas, cerca de 15 mil pessoas se reuniam em campo aberto. Em uma única noite, cerca de 5 mil pessoas aceitaram Jesus como seu Salvador.

Outra noite um dos professores da Universidade da África do Sul, em Pretória, estava passando por ali. Seu nome era sr. Tromp.

Ele viera à Cidade do Cabo desfrutar alguns dias de férias na praia. Sendo cristão, sentiu-se fortemente interessado na grande multidão que compartilhava a Palavra de Deus.

Estando ali, por fora da multidão (ele nos contou depois), ouviu-me dizer que um homem com hérnia estava de pé na assistência e que Deus queria curá-lo. Sentiu logo que era ele o homem citado, embora ninguém soubesse do seu sofrimento, a não ser ele e Deus. Fazia 19 meses que ele vinha orando para que Deus o curasse. No momento em que eu mencionei o fato, ele levantou a mão, reconhecendo sua condição, e em nome de Jesus Cristo eu ordenei que a aflição o deixasse. No mesmo instante a hérnia desapareceu!

Naquela época eu lia todos os livros que podia encontrar relacionados com a fé. Li a biografia de Smith Wigglesworth, Charles Finney e John Wesley. A impressão, cada vez mais profunda, era de que Deus me queria no seu serviço em tempo integral.

Três semanas após o Reavivamento Bosworth em Joanesburgo, Deus se manifestou a mim de modo especial. Como de costume, saí para o trabalho naquela manhã de sexta-feira. Cerca de quatro horas da tarde o telefone tocou. Era uma amiga da irmã Gladys Webster, irmã Maude Solomon.

— É o irmão Thom que está falando? — ela perguntou.

— Sim — respondi. — Que barulho é esse? O que está acontecendo aí?

— Oh — ela riu —, estou contente de que você possa ouvir!

— Muito bem, o que é?

— É sua mulher falando em línguas. O Senhor Deus acaba de batizá-la com o Espírito Santo!

— Você está brincando!

— Não! É verdade! Escute! — E a irmã Maude parou de falar para que eu ouvisse claramente a voz de Joyce. Não havia dúvida, minha mulher estava orando em alguma língua desconhecida.

— Louvado seja Deus — falei. — Foi *exatamente* por isso que eu orei.

— Foi?

— Sim, irmã! Hoje faz três semanas que eu disse a Deus que, se ele me queria em tempo integral no ministério, precisaria batizar Joyce no Espírito Santo, e que isso deveria ocorrer em uma tarde de sexta-feira!

— Não?! — ela comentou, espantada. — Você fez tal oração?

— Sim, irmã!

— E aconteceu exatamente como você pediu em oração?!

— Sim, Jesus não é maravilhoso?

Coloquei o telefone no gancho e sentei-me ali por um momento em êxtase. "Senhor", orei depois, "não precisas dizer mais nada. Eu te obedecerei." De imediato me dirigi ao gabinete do comandante. (Por coincidência ele era meu cunhado.)

— Major — comuniquei —, vim solicitar baixa nos meus papéis. Quero sair no dia 31 de dezembro.

— Você está dando baixa? Por quê?

— Vou entrar para o ministério.

— Seu demônio maluco! Você deveria pensar melhor. Será que não entende que escolhi você para promoção? Não demora muito, e você será o primeiro homem nesta unidade!

— Eu sei, mas Deus me disse para sair.

— Você pensa que eu vou acreditar nisso? Por que, em nome do bom senso, Deus diria a você uma coisa tão idiota como essa?

— Não sei — repliquei com um sorriso. — Ele deve ter algo em mente.

O comandante meneou a cabeça, demonstrando incredulidade.

— Você ficou maluco por causa desse negócio de religião, não ficou? — ele zombou. — Logo você terá Joyce tão doida quanto você.

— Acho que ela já está — repliquei. — Esta tarde, ela ficou cheia do Espírito Santo.

Aborrecido, ele se virou para sair de seu gabinete e falou:

— Está certo. Se você quer dar o fora, esse estúpido engano é seu. Mas, quando estiver morrendo de fome, não venha chorar no meu ombro.

Quando cheguei em casa naquela noite, Joyce lançou seus braços ao redor de mim e chorou de alegria por sua recente experiência no Espírito.

— Oh, Bob, é tão maravilhoso!! — soluçou. — Sinto como se tivesse uma vida completamente nova!

— Sim, assim será — eu disse rindo —, mais do que você pode imaginar.

— O que você quer dizer com isso? — ela perguntou, afastando-se e me olhando com os olhos cheios de lágrimas.

— Vou dedicar-me ao ministério em tempo integral.

— Você está deixando seu emprego na base?

— Sim. Posso comprar meu desligamento por 52 libras inglesas.

Por um momento ela ficou muito séria.

— De que viveremos?

— Doçura — falei —, o Deus que chama também proverá.

Ela começou a rir e gritou:

— Viva! Vamos entrar na folha de pagamento de Deus!

Ali ficamos por longo tempo rindo e chorando.

Por alguns dias, oramos ardentemente pedindo o dinheiro de que precisávamos. De fato, concordamos em orar pedindo a soma de 63 libras: 52 para pagar o direito de desligar-me do Exército e 11 para alguns dias de férias. Naturalmente, com a minha asma, eu poderia ter conseguido facilmente uma pensão no valor de 100% do meu salário, mas eu tinha certeza de que Deus me curaria; por isso, achei que seria melhor comprar minha baixa.

Fui a uma reunião de oração certa noite. Havia decidido que precisava orar fervorosamente pelas 63 libras naquele momento.

Quando voltei para casa, havia um homem conversando com Joyce no portão.

— Irmão Thom — ele falou —, sua mulher recebeu um cheque para você.

— Sim — respondi. — Sessenta e três libras.

Ele olhou para mim com surpresa.

— Como você sabe? Sua mulher o avisou ou algo semelhante?

— Como eu poderia ter avisado? — Joyce o interrompeu. — Você me entregou o cheque há poucos minutos, e ficamos aqui conversando desde que você chegou.

— Sim, naturalmente — ele falou, voltando-se para mim. — Mas como você soube?

— Bem — repliquei — eu acabo de orar pedindo 63 libras. E, quando oro, espero que Deus responda.

Ele estava espantado.

— É um milagre! — falou. — Espere até eu contar *isso* para a minha mulher!

11
Quem precisa de quatro travesseiros?

Ao final de dezembro, todos na unidade sabiam que eu estava saindo. O major ainda achava que eu estava cometendo uma grande tolice. Eu tinha excelente ficha funcional, como evidenciavam minhas sete medalhas e condecorações. Contudo, Deus deixara bem claro qual era a sua vontade, e eu sabia que a mim não restava opção senão obedecer.

Assim, no dia 31 de dezembro, tive uma despedida militar. O oficial comandante e todos os homens da unidade se reuniram em um salão para me oferecer uma grande festa de despedida. Quando entrei, todos se puseram em posição de sentido enquanto eu era escoltado até a mesa principal.

As bebidas foram servidas, e cada um começou a encher seu copo. Alguns dos camaradas sorriam e piscavam um para o outro; eles sabiam como eu me sentia em relação às bebidas alcoólicas.

— Sirva-me um refrigerante — falei alto bastante para que todos ouvissem. — Quero deixar o Exército em plena posse de minhas faculdades. — Todos riram.

Depois que o oficial comandante fez seu discurso, mencionando tudo que eu havia feito pelo Exército, todos tinham seus brindes preparados. Antes, porém, cabia-me um discurso de agradecimento. Não achando certo brindar com eles e suas bebidas, respondi da seguinte forma:

— Oficial comandante, oficiais superiores, oficiais inferiores, oficiais não-comissionados e soldados. Aprecio sobremaneira o admirável gesto de despedida desta tarde. Sinto-me profundamente tocado por ele. Mas, desde que Cristo entrou em minha vida, meu coração passou por uma experiência real. Aprendi a detestar as bebidas alcoólicas que corromperam meu lar e arruinaram minha vida, e quase me levaram ao suicídio. Eu apreciaria bastante se, nesta tarde, antes de levantarem seus copos para brindar-me, vocês curvassem a cabeça em oração e me permitissem agradecer a Deus os meus anos no serviço, bem como pedir a bênção de Deus sobre vocês, meus camaradas.

Eles largaram os copos e oraram. A unção de Deus veio sobre mim e, quando eu disse "amém", havia naqueles homens uma verdadeira luta para reter as lágrimas. Antes que tivessem oportunidade de fazer o brinde, pus o meu quepe, aproximei-me do oficial comandante e, num silêncio de morte, bati-lhe continência. Então, dando meia-volta, marchei para fora daquele salão rumo a uma nova vida, envolvido pelos tempestuosos aplausos dos homens.

Exatamente um minuto após a meia-noite, eu estava oficialmente fora do Exército.

Ninguém jamais saberá quão livre me senti no dia de Ano Novo de 1952! Nada mais me deteria; todo o impedimento terreno havia ficado para trás, e eu estava agora consagrado a uma vida exclusiva de fé nas promessas de Deus.

"Mas não permitas que eu me preocupe com coisas materiais, Senhor", orei. "Concede que eu me preocupe somente com os milhões de pessoas que ainda não ouviram o evangelho. Enche-me de amor pelos perdidos, e que eu saiba avaliar quão terrível é passar à eternidade sem Cristo. Essa é a coisa importante. Tu cuidarás de nós e de nossas necessidades materiais se nos consagrarmos a ti e à tua obra em primeiro lugar."

Pulando da cama, comecei a cantarolar um velho e querido hino enquanto me vestia. Mal eu vencera uns dois versos, comecei a tossir. Tossi tão forte que precisei assentar-me à beira da cama para tomar fôlego.

"Esta asma miserável!", resmunguei para mim mesmo. "Vai ser a minha morte qualquer dia!" A seguir, sofri um acesso de tosse que durou cerca de 15 minutos. Quando a tosse passou, eu me sentia fraco e exausto.

"Você e seus sonhos malucos de um ministério entre os pobres!", o Diabo soprou. "Quem vai querer ouvir uma máquina chiante como você?" Censurei-o fracamente e disse algo com respeito a servir a Jesus ainda que eu tivesse de morrer em ação.

E isso era bem possível. Eu havia chegado a um estágio em que vivia praticamente à base de comprimidos de efedrina e não podia deitar para dormir. Recostava sempre em quatro travesseiros.

No dia 3 de janeiro, levei Joyce e os meninos a uma convenção eclesiástica nas montanhas próximas. Parecia uma boa oportunidade para gozar um fim de semana de refrigério espiritual antes de começar o meu ministério entre as pessoas do Cabo.

Não obstante, tudo saiu errado. Acomodamo-nos numa pequena cabana de madeira, e Joyce prepararia a comida num fogão a gás portátil. No primeiro dia, ela estava fervendo água e, quando foi despejá-la, entornou-a nas pernas, queimando-se gravemente. Tratei da lesão com medicamentos de primeiros socorros que encontrei na cabana e disse a Joyce que era melhor deitar-se um pouco. Isso queria dizer que eu deveria cuidar dos meninos e preparar o jantar. Naquela noite nem eu nem ela conseguimos dormir. A maior parte da noite Joyce passou com dores, e eu passei tossindo e me esforçando para respirar.

Quando voltamos para casa, tarde da noite no domingo, decidi que alguma coisa devia ser feita em relação ao meu problema. "Senhor", orei antes de dormir aquela noite, "como posso continuar assim? Tu me chamaste para pregar o evangelho e ministrar aos enfermos, mas como posso fazer isso quando eu próprio estou doente? Tens de fazer algo".

"*Não*", pareceu que o Senhor me dizia. "*VOCÊ é que tem de fazer algo.*"

"*Eu*, fazer algo? *Mas o quê?*"

"*Coloque sua fé em ação.*"

Foi então que sobreveio outro acesso e eu tossi por tanto tempo e tão fortemente que pensei que ia morrer. Joyce se aproximou e me abanou, mas não adiantou nada. Ela abriu a janela, pensando que um pouco de ar me faria bem. Mas nada havia que fazer senão suportar a crise. Quando, afinal, a tosse começou a acalmar, voltei a pensar no que Deus me havia dito: "*Coloque sua fé em ação*".

Estranho que Deus dissesse aquilo, *de novo*! Ele sabia quão fervorosamente eu acreditava nos grandes ensinos de sua Palavra sobre o poder de cura. Eu não somente acreditava, mas pregava a respeito. Pensava no salmo 103.3, onde Davi fala de Deus como aquele que "... cura todas as suas doenças". Lembrava-me de como Isaías profetizou a crucificação de Jesus dizendo: "... pelas suas feridas fomos curados" (Is 53.5). Eu realmente *acreditava* nessas afirmações. Mas Deus parecia dizer que eu deveria *provar* a minha fé fazendo alguma coisa.

— Está certo — falei bem alto. — Se é ação que tu queres, então vamos a ela.

Coloquei-me de pé, peguei três dos quatro travesseiros que eu sempre usava para recostar-me e os guardei no quarto de despejo.

— De agora em diante — eu disse a Joyce —, vou dormir como qualquer pessoa normal! Se Deus quer curar-me, então não preciso de quatro travesseiros para conservar-me vivo!

— Tem certeza?

— Sim. E as pílulas também se vão — repliquei, pegando o vidro de comprimidos de efedrina e indo para a cozinha. Abri a torneira e joguei os comprimidos na pia. — Será morrer ou sarar — falei —, mas vou obedecer à Palavra de Deus. — Voltei para a cama e me deitei de costas pela primeira vez em meses.

Cerca de meia hora mais tarde, comecei a tossir de novo. Eu sentia como se me cortassem o ar. Meu peito ofegava, e eu lutava para conseguir respirar. De repente, tudo escureceu, e eu apaguei.

Naquele estado inconsciente alguma coisa aconteceu. Não estou certo se era um sonho ou uma visão, mas eu me sentia caindo nas entranhas da terra. Era o poço de uma mina abandonada, ou algum misterioso abismo escuro? Eu não tinha certeza do que era, mas sentia que era úmido e abafado.

Quando atingi o fundo, pareceu-me estar numa caverna escura e subterrânea. Olhando à minha frente percebi um largo e escuro lago. Cheguei até a margem e vi cobras e ratos. Sapos saltavam por ali e havia escorpiões e aranhas.

"Onde estou?", sussurrei para mim mesmo. Então, olhando para o lago, vi o que parecia um homem dentro de um bote; ele remava vagarosamente, mas com firmeza na minha direção. No mesmo instante percebi que era o Anjo da Morte que vinha me buscar. Minha vontade era voltar e correr, mas meus pés estavam colados no chão.

Quando meus olhos ficaram mais acostumados à sombra, vi que existiam milhões e milhões de pessoas naquele lago. Notei, especialmente, a cabeça das mulheres pairando abaixo da superfície, com os cabelos soltos e em torvelinho.

— *Você me pediu uma visão dos perdidos* — uma voz falou. — *Cada fio de cabelo nestes milhões de cabeças representa uma alma perdida na eternidade. Veja quantos milhões!*

Ao olhar para aquele vasto lago e ver as muitas, muitas pessoas ali, caí de joelhos e comecei a chorar, não por mim, mas pelos milhões de almas perdidas que eu contemplava.

— Oh, Deus — clamei — , não me deixes morrer ainda! Deixa-me voltar à terra dos vivos para que eu possa trabalhar por ti e levar os pecadores a Cristo. Alguém precisa ajudá-los! Deixa-me voltar! Deixa-me voltar!

Comecei, então, a recitar o salmo 23: "O SENHOR é o meu pastor; de nada terei falta".

Enquanto tentava dizer essas palavras, minha respiração se tornava mais e mais difícil. Fiquei tonto e caí de costas, ainda murmurando as palavras do salmo. Por fim, cheguei ao trecho: "Mesmo quando eu andar por um vale de trevas e morte, não temerei perigo algum, pois tu estás comigo; a tua vara e o teu cajado me protegem".

Justamente nesse momento, senti um par de mãos invisíveis deslizando sob meu corpo e levantando-me para fora daquele poço. Acabei o salmo e comecei de novo. As mãos invisíveis me elevaram e gentilmente me colocaram sobre um declive gramado à margem de um ribeiro. Nesse exato momento eu estava dizendo: "Em verdes pastagens me faz repousar e me conduz a águas tranquilas".

De repente recuperei a consciência. Já era de madrugada. Ouvi alguém orando baixinho ao lado da minha cama. Era o pastor Crompton. Ele dizia:

— Graças te dou, Jesus! Graças te dou, Senhor!

Toquei-o no ombro.

— Há quanto tempo *o senhor* está aqui?

Ele estava um tanto surpreso.

— Duas horas e meia — respondeu sorrindo. — Você está bem?

Foi então que notei quão facilmente eu estava respirando. Nenhum chiado. Nenhum esforço. Imagine só, até a minha voz soava diferente.

— Louvado seja o Senhor! — gritei, só para ouvir de novo a minha voz. Não havia dúvida, o chiado sumira. Pulei da cama e abracei o pastor Crompton e Joyce. — Deus me curou! — gritei.

— Vocês conseguem entender isso? Estou curado! Minha asma *desapareceu*!

Não demorou muito e a meninada estava de pé.

— O que está acontecendo? — Drummond perguntou com ar sonolento.

— Papai está curado! — Joyce exclamou. — Veja como ele está respirando com facilidade! — Todos eles correram e, ao redor de mim, me olhavam admirados.

— Agora posso ter meu travesseiro de volta! — Davi exclamou. Todos rimos e nos alegramos por um bom tempo. Finalmente, o pastor se retirou e mandamos os meninos de volta para a cama. Pela primeira vez em meses eu dormi como um bebê.

Levantei-me no dia seguinte como se fosse o dono do mundo. Era formidável estar vivo. Meus primeiros pensamentos foram a respeito do ministério. Tudo indicava que Deus havia removido a última e grande barreira, por isso achei que agora era a ocasião de lançar-me ao trabalho.

Fui visitar o pastor Crompton.

— Pastor — comecei —, o senhor sabe que me desliguei de tudo para dedicar-me à obra de Deus. Eu gostaria de candidatar-me ao ministério na Missão Apostólica da Fé.

— Ah, irmão Tommy — o pastor respondeu —, sinto-me tão feliz por ouvi-lo dizer isso! — Ele abriu uma gaveta e pegou um formulário de candidatura. — Preencha esta folha e a enviaremos ao escritório central da igreja.

Puxei uma cadeira e preenchi o extenso formulário. Durante todo o tempo em que estive escrevendo, o pastor Crompton ficou dizendo baixinho: — Louvado seja o Senhor! Nós te agradecemos, Jesus!

Quando terminei, o pastor me disse que enviaria a solicitação pelo correio imediatamente e, dentro de poucos dias, eu teria a resposta do escritório central. Fui para casa, tranquilo, certo de que tudo correria bem.

Poucos dias depois, no entanto, recebi uma carta de rejeição. A carta explicava que era contrário à orientação da igreja aceitar alguém com mais de cinco filhos para o serviço missionário. Eu tinha seis.

"Senhor, o que faço agora?" — perguntei no meu desapontamento.

"*Eu já não disse a você?*" — pareceu falar-me o Senhor.

"Já me disseste?", perguntei perplexo. "Quando? Onde?"

Então Deus me trouxe à lembrança um culto do qual eu participara alguns meses atrás, no qual duas ou três pessoas haviam profetizado que eu nunca me uniria a nenhuma organização e que Deus me daria um ministério singular, por meio do qual eu seria portador do evangelho não apenas à Cidade do Cabo, mas a muitas nações.

— Senhor, eras tu realmente que falavas? — perguntei.

"*Permiti que rejeitassem a sua solicitação para que você pudesse ver mais claramente o meu plano*", pareceu-me dizer ele. "*Eu não ajo em todas as coisas para o bem daqueles que me amam, dos que foram chamado de acordo com o meu propósito?*"

Assim, alguns dias mais tarde, após muita oração, resolvi aventurar-me pela fé, pregando e ensinando onde quer que Deus me abrisse uma porta. Na ocasião eu não sabia, mas a decisão de aventurar-me dessa forma resultou numa vida mais estimulante do que qualquer sonho desafiador possível.

12
Adeus a camas e aparelhos ortopédicos

Uma de minhas primeiras reuniões realizou-se na casa de uma família, à rua Bromwell, 19, em Woodstock, subúrbio da Cidade do Cabo. Achei que reuniões em casas eram boa maneira de ministrar às necessidades das pessoas, e muitas foram salvas e curadas. À parte a multidão reunida na sala de estar, naquela noite, uma filha da família estava acamada.

— Qual o problema dela? — perguntei aos pais.

— Ela sofreu uma fratura na espinha.

— Oh? O que aconteceu?

— Ela se machucou na fábrica. Recebe uma verba como auxílio-doença e alguma coisa do sindicato. Mas levará muito tempo até que possa sair daquela cama.

— Isso é muito ruim — falei. — Gostariam que eu orasse por ela?

— Oh, sim! — responderam. — Ore, por favor!

Então, próximo ao fim do culto, aproximei-me daquela cama de hospital onde ela estava deitada, e fiz uma singela oração pedindo sua cura. Entretanto, não aconteceu nada que eu pudesse notar, por isso os animei para que tivessem fé e fui embora por volta das 9h30 da noite.

Às 11h05 daquela noite, meu telefone tocou:

— Alô?! Aqui é o irmão Boetie — disse uma voz emocionada.

— Sim, irmão Boetie — respondi. — Alguma coisa errada? — O irmão Boetie era um dos que haviam estado presentes à reunião.

— Pensei que você gostaria de ser informado — ele disse. — Depois que você saiu da reunião esta noite, o pastor daquela gente esteve lá e disse-lhes que você é do Diabo, e que elas não deveriam, nunca mais, deixá-lo entrar lá outra vez.

— E o que *elas* responderam? — perguntei.

— Disseram que você orou pela menina. E o pastor disse: "Bem, mas ela não foi curada, foi?" Então responderam: "Não". E ele então continuou: "Estão vendo? Isso *prova* que ele é do Diabo; se assim não fosse, Deus ouviria suas orações".

— E, então, o que aconteceu?

— Ah! Essa é a parte melhor — irmão Boetie respondeu. — Quando o pastor disse isso, a garota pulou da cama (e você lembra como a cama era alta) e caminhou, segura, na frente daquele ministro; fazia 19 meses que ela não ficava de pé!

Comecei a rir. — Louvado seja Deus! Não é exatamente assim que o Senhor procede? E, então, o que disse o ministro?

— Oh, irmão Thom, ele ficou numa situação horrível. Tinha os olhos fixos na garota, sem poder acreditar; depois levantou-se e disse: "Oh, perdoem-me, perdoem-me!" A menina continuou andando diante dele, e depois até desceu as escadas, indo ao banheiro do primeiro andar!

Depois de desligar o telefone, ri a valer. Em seguida, procurei Joyce e lhe contei tudo e, juntos, louvamos a Deus.

Na manhã seguinte, bateram à nossa porta. Quando atendi, deparei-me com um homem que se apresentou como o pastor da família da rua Bromwell.

— Oh, irmão — ele disse —, perdoe-me por favor! Estou tão envergonhado!

— Por quê? O que há de errado? — falei, dando a entender que nada sabia acerca do que falava. Então ele me contou a história inteira e, em prantos, me pediu perdão.

— Está tudo bem, está tudo perdoado — eu disse, sorrindo. — O senhor apenas não compreendeu ainda o poder curador de Jesus.

Em todas as minhas reuniões posteriores, tive uma ideia do que deve ter acontecido quando Jesus andou na terra. Sua presença era tão real que parecia que nada era impossível.

Dali em diante comecei a organizar grupos de testemunho para sair, pregar e curar os enfermos. Uma noite meu auxiliar e eu fomos a um lugar chamado Elsie's River, onde realizaríamos uma reunião na casa de uma família de sobrenome Groves. Era uma noite tempestuosa, e tínhamos de atravessar estradas lamacentas e alagadas para ir até lá. Quando chegamos, minha atenção foi atraída para um menino de cerca de 10 anos de idade que jazia no chão e usava um aparelho ortopédico cobrindo todo o corpo. Uma parte de couro sustentava a cabeça e o corpo do menino. Havia, também, extensões de ferro às quais as pernas estavam amarradas com correias.

— Quem é ele? — perguntei a um dos homens.

— É Collin, filho do irmão e da irmã Groves — o homem disse. — Está com doença nas juntas.

Durante a reunião senti-me movido a orar por ele.

— Collin — falei —, você crê no poder curador de Jesus?

— Sim, senhor.

— E você crê que ele pode curá-lo?

— Sim, senhor.

Impus as mãos sobre ele, fiz uma breve oração e o declarei curado em nome de Jesus.

— E agora? — perguntei. — Você acha que pode andar?

— Sim, senhor.

— Podemos tirar este velho aparelho?

— Sim, senhor.

Então, soltamos as correias e ajudamos o menino a ficar de pé. Imediatamente ele começou a andar sem auxílio, e seu rosto se iluminou de alegria. Quando as pessoas viram o que estava acontecendo, começaram a gritar: "Graças a ti, Jesus!". Outros caíram de joelhos e começaram a arrepender-se de seus pecados. Não foi necessário fazer nenhum apelo naquela noite. Assim que as pessoas viram tamanha manifestação do poder de Deus, perceberam o quanto precisavam de Jesus.

Alguns dias depois, convidei Peter Dreyer, um jovem de uma de minhas equipes de testemunho, para acompanhar-me a um lugar chamado Grassy Park. Ali encontramos outro menino em condições semelhantes às de Collin Groves, preso ao mesmo tipo de aparelho ortopédico. Dos quadris para baixo, estava ele envolto com faixas que o prendiam firmemente a um suporte de ferro.

— Ele está com tuberculose nas juntas e na coluna — a mãe do menino explicou. — Faz já 18 meses que não anda. O senhor pode orar por ele?

— Sim — respondi —, mas onde está o pai dele?

— Em casa — ela disse. — Ele não vê nenhum proveito neste tipo de religião. Diz que é cristão, mas tudo o que ele faz é ficar sentado em casa e bebendo.

— Está bem, orarei pelo menino — eu disse àquela mãe desesperada. Então Peter e eu impusemos as mãos sobre o garoto e oramos, enquanto a mãe intercedia junto a Deus acompanhando-nos na oração.

Assim que terminei a oração, a mãe do menino começou a desenrolar as faixas. Enquanto ela fazia isso, eu continuava ministrando a outras pessoas que esperavam sua vez. Passados alguns minutos, ouvi um grito e virei-me para ver aquele menino dançando e louvando a Deus. Logo que os demais viram o que havia acontecido, também começaram a louvar a Deus.

— Vou para casa mostrar a meu pai o que aconteceu! — o menino gritou. Então, todos o acompanhamos para ver como as coisas correriam. Jamais esquecerei a cena. Tivemos de andar cerca de 300 metros sobre a areia, que é a pior forma de caminhar quando se sofre de algum problema nas pernas ou na coluna. Mas aquele menino caminhou conosco sem a menor hesitação. Os vizinhos, ouvindo-nos louvar a Deus, apontaram a cabeça fora das portas, para ver o que se passava.

Quando chegamos à casa do menino, entramos e lá encontramos o pai, sentado e com uma garrafa de cerveja na mão.

— Papai! — gritou o menino. — Veja! Eu posso andar. Jesus me curou!

O pai olhou o menino e exclamou:

— Oh, meu Deus! É incrível!

Caminhei até aquele pai e pus o braço sobre seus ombros.

— Jesus ama você, companheiro — falei. — Não gostaria de conhecê-lo? — Ele se levantou e chorou verdadeiras lágrimas de arrependimento.

Alguns dias depois, eu soube que dois enfermeiros do grande Hospital Vitória, de Wynberg, foram atender ao menino, como faziam habitualmente duas vezes por semana. Quando o viram, ficaram por demais perturbados.

— Nós recomendamos que este menino mantivesse o uso do aparelho! — disseram. — Por que ele está andando por aí desse jeito?

— Um homem de Deus orou por ele — a mãe explicou. — E, pelo poder de Deus, ele está andando, como vocês estão vendo.

— Alguma coisa está errada. — A senhora nos permite examiná-lo.

Então eles puxaram suas fitas métricas e, cuidadosamente, me-diram os quadris e as pernas do menino. Depois fizeram com que ele executasse uma série de movimentos, para verificar se havia alguma dor em suas juntas. Por fim, um tanto perplexos, mediram-no novamente.

— Bem — a mãe perguntou —, o que vocês acham? Devo colocá-lo de novo no aparelho?

— Não — um deles disse —, acho que ele não precisará mais disso.

— Maravilhoso! Louvado seja Deus!

— A senhora tem certeza de que ele não apresentou nenhum problema desde que o aparelho foi retirado? — o outro perguntou.

— Problema? — ela perguntou. — Se tive! Ainda ontem tive de bater nele.

— Bater nele? Como a senhora bateu nele?

— No traseiro... De que outro modo?

— Mas por quê?

— Porque ele trepou naquela árvore enorme ali.

Ambos se entreolharam, atônitos. Eles sabiam que, para um menino com uma doença tão dolorosa, seria fisicamente impossível subir em árvores.

— Muito bem — disseram —, só há um conselho que podemos dar à senhora: se isso não durar, é melhor processar o curandeiro. — O que eles ignoravam totalmente é que o curandeiro, no caso, era o Senhor Jesus.

13
O velho e querido Bosworth

Um dia, no início de 1952, eu disse a Joyce:

— Acho que chegou a hora de meu encontro com Bosworth.

— Que encontro? — ela perguntou, mostrando surpresa com um vinco na testa.

— Você não lembra? — repliquei. — Eu contei a você, quando voltei de Joanesburgo em outubro último, que Bosworth me havia convidado a visitá-lo nos Estados Unidos.

— Oh, sim, você *mencionou* isso — ela lembrou. — Acho que não prestei muita atenção na ocasião.

Bem, creio que Deus quer que eu faça essa viagem.

— Mas por quê? Você não tem bastante coisa para fazer aqui?

— Sim — sorri —, mas tenho a perfeita sensação de que Deus quer ensinar-me algo por meio daquele velho; é isso.

Desde que Bosworth havia feito aquela sugestão quatro meses atrás, eu não consegui afastar a ideia da minha mente. Embora Deus estivesse abençoando meu ministério na África do Sul, eu continuava sentindo que havia um mundo de experiências a alcançar. Meus anos no serviço militar me haviam tornado intensamente autoritário e, às vezes, ríspido. Eu sabia quão tremendamente precisava conviver com um cristão mais velho e mais bondoso para aprender mais sobre a expressão da graça cristã em minha vida e em meu ministério.

Assim, escrevi uma carta a Bosworth para o endereço de sua residência em Coral Gables, Flórida, e a coloquei no correio naquela mesma tarde. Em questão de dias, recebi a resposta. Ele dizia que logo estaria engajado numa cruzada em Hammond, Indiana, e que eu poderia fazer meus planos para encontrá-lo nesse lugar.

Algumas semanas depois, desembarquei no enorme aeroporto de Chicago e telefonei para o hotel onde Bosworth estava hospedado. Assim que ouviu a minha voz e o meu sotaque sul-africano, ele ficou sabendo quem era.

— Irmão Thom! — ele exclamou. — Seja bem-vindo aos Estados Unidos!

— Obrigado — respondi. — Como desejei vir!

— E quanto tempo pretende ficar por aqui? — ele perguntou.

— Algumas semanas — respondi. — Será o suficiente?

— Excelente! — ele disse. — Sugiro que você consiga um quarto no mesmo hotel em que estou, assim nosso relacionamento será muito melhor. Estaremos ocupados nas reuniões a maior parte do tempo, mas *precisamos* passar algum tempo juntos em conversas pessoais e momentos de oração. Você vem já para cá?

— Sim — eu disse. — Dentro de uma hora estarei aí.

— Certo — ele respondeu. — Estarei esperando por você.

Naquela noite, depois de hospedar-me no hotel, eu me sentia um tanto nervoso ao bater à porta do quarto de Bosworth. Mas tão logo ele atendeu e me deu as boas-vindas em calorosa recepção, meu nervosismo desapareceu. Nunca esquecerei aquela noite. Havia uma "fragrância" espiritual envolvendo aquele velho como eu raramente vira em qualquer cristão de qualquer lugar.

No dia seguinte começamos a grande cruzada em Hammond, nos subúrbios de Chicago. Cooperei orando pelos doentes e guiando as pessoas a Cristo por ocasião dos apelos. Era uma grande sensação assumir uma pequena parte naquelas grandes reuniões, assim como ter a oportunidade de aprender tanto com esse experimentado "guerreiro da cruz".

Depois de várias paradas no Estado de Indiana, voamos até Miami, na Flórida, para outra grande cruzada em uma enorme Igreja da Aliança Cristã e Missionária, da qual era pastor o dr. Miller. Eles tinham um programa diário de rádio transmitido diretamente do auditório da igreja; o dr. Miller resolvera convidar Bosworth ou um de seus associados para falar na programação radiofônica. Todos sentimos que essa seria uma excelente publicidade para a cruzada.

Imagine, contudo, minha surpresa quando Bosworth me perguntou se *eu* estava disposto a assumir tal responsabilidade!

— Quem? Eu? — respondi — Eu nunca preguei pelo rádio.

— Não? — Bosworth perguntou sorrindo. — Amanhã à tarde, porém, isso não mais será verdade.

Assim, na manhã seguinte, fui à igreja com Bosworth, que preferiu ficar na sala de controle e observar enquanto eu atuava no púlpito com o dr. Miller.

Quando chegou a hora de falar, eu tremia como uma folha soprada pelo vento. "Senhor, tens de ajudar-me", orei baixinho. "Nada sei a respeito deste estilo de pregação."

O fato de ser a minha primeira experiência em rádio já era bastante ruim; mas, assim que abri a boca para falar, constatei que pregaria para uma igreja vazia, e isso era ainda pior!

Contudo, enquanto eu lutava com minhas primeiras frases de abertura, de repente, uma visão extraordinária surgiu diante de mim. Tentei afastá-la. Eu estava tentando concentrar-me no meu sermão. Mas ela se recusava a desaparecer. Vi um jovem soldado no calor da frente de batalha na Coreia. (Estávamos em plena guerra da Coreia.) Eu ouvia o troar da artilharia e via o rapaz em perigo. Então, de repente, a visão mudou, e passei a ver a mãe do jovem colocando um pedaço de carne no forno para assar. Via a expressão ansiosa em seu rosto e sabia quão aflita estava pelo filho.

Em um lampejo, percebi o que Deus queria que eu dissesse.

— Neste instante, há uma ouvinte nossa que é mãe e está pondo um pedaço de carne no forno — declarei. — A senhora tem um filho na frente de batalha na Coreia. A senhora está suportando um fardo pesado de cuidados por aquele rapaz. A senhora já derramou muitas lágrimas. Mas ouça-me; eu tenho uma palavra do Senhor para a senhora: "Mãe. Não deixe o coração ficar perturbado. Você crê em Deus; creia também em mim".

Durante os 25 minutos seguintes, falei àquela mãe como se estivéssemos face a face. Eu podia vê-la em minha visão, e Deus me dizia o que eu devia falar a ela.

Quando terminei, o telefone começou a tocar, com chamadas procedentes de toda a Miami.

"Quem era esse pregador?", perguntavam. "Nunca ouvimos nada como *isso*!" Até mesmo o repórter de um jornal telefonou.

Bosworth desceu da sala de controle com lágrimas nos olhos.

— Onde você aprendeu a pregar assim? — perguntou.

— Bem, não sei — respondi. — Eu realmente tive a visão de uma mãe aflita, e vi o filho dela usando um uniforme de pracinha norte-americano, e não tive dúvida de que devia falar àquela mãe.

— Essa é grande! — exclamou Bosworth. — Nunca vi uma demonstração mais pura da palavra do conhecimento.

Imediatamente minha memória voltou ao dia em que fui batizado no Espírito, na casa de McQuade. Lembrei-me de como havia visto o Senhor em visão e de como ele me disse: *"Eu te dou a palavra do conhecimento"*. Será que esta promessa começava aí a se cumprir? Eu havia lido muitas vezes 1Coríntios 12 e sabia que um dos dons do Espírito Santo é "a palavra do conhecimento". Se eu compreendia corretamente esse dom, isso envolvia o "conhecer" certos fatos por divina revelação. Pedro não havia recebido uma palavra de conhecimento, quando Deus lhe revelou o embuste de Ananias e Safira? E, se Deus havia revelado aquilo a Pedro, então evidentemente podia dar-me conhecimento sobre uma mãe aflita. Por que não? Isso me parecia perfeitamente lógico.

Daquele dia em diante, Bosworth passou a gastar mais e mais tempo comigo. Tratava-me como se eu fosse seu próprio filho. Algumas vezes me levava à sua casa em Coral Gables e ficávamos, noite adentro, conversando a respeito das coisas de Deus. Em outras ocasiões orávamos juntos, pedindo a direção divina para o meu ministério quando eu regressasse à África. Várias vezes ele conseguiu convites para eu pregar e costumava ir ouvir-me. Era, sem dúvida, um grande privilégio estar associado a esse grande homem!

Uma noite ele trouxe à baila um assunto que, de certo modo, me surpreendeu.

— Robert — ele disse —, creio que a mão de Deus está sobre você. Ele confiou a você um grande ministério. Mas você precisa ser ordenado.

— Ordenado? — repliquei. — O senhor está brincando, não está? Eu não tenho nenhuma preparação regular para o ministério; de que vai adiantar a ordenação?

— Vai adiantar muito, Robert — ele insistiu. — Algumas portas permanecerão sempre fechadas, se você não for um ministro do evangelho devidamente reconhecido. Há muitos púlpitos onde você não será bem-vindo e muitas pessoas que não respeitarão seu ministério.

— O senhor está sugerindo que eu volte para a escola, então? — perguntei um tanto apreensivo.

— De forma alguma — ele respondeu com um sorriso. — Se você fosse mais moço, eu diria sim. Mas você está com 37 anos, e Deus já o encaminhou a um bom ministério.

— Mas o senhor ainda pensa que devo ser ordenado?

— Sim — ele respondeu. — Penso que é muito importante.

— Mas eu ainda posso ser um ministro *sem* ordenação, não posso?'

— De certo modo. É como um lançador no jogo de beisebol com capacidade para jogar nos principais campeonatos, mas que não é reconhecido pelos grandes clubes. E um lançador como esse pode fazer sucesso em quaisquer clubes menores que quiser, mas jamais conseguirá ser lançador de um grande clube a não ser que algum observador o descubra e o ajude a conseguir um contrato.

— Então que observador me descobrirá? — falei, brincando.

— Este observador à sua frente.

— O senhor?

— Sim, irmão. Observei seu ministério e creio que você tem as qualificações necessárias. Estou pronto para recomendá-lo a um "clube".

— Mas que gerente geral *me* contrataria?

— Ah — ele disse com um sorriso afetuoso —, eu conheço o homem certo. Escreveremos ao meu bom amigo Joseph Mattsson-Boze, de Chicago. É o pastor da Assembleia de Deus Independente ali. Ele ficará satisfeito em cuidar do que for necessário para a sua ordenação, tenho certeza.

Assim, dentro de duas semanas, voamos até a igreja de Mattsson-Boze, onde uma cerimônia especial de ordenação foi marcada para mim. Henry Carlson, um dos diretores da Associação dos Homens de Negócios do Evangelho Pleno, lá estava, bem como a sra. Mary Uzelle, que tinha um ministério profético incomum naquela igreja. Quando chegou o momento de imporem as mãos sobre mim, o irmão Carlson começou a orar em línguas. A sra. Uzelle deu a interpretação, e eu senti a poderosa unção de Deus vindo sobre mim à medida que ela assim falava:

Assim diz o Senhor. Meus olhos perscrutaram a nação e busquei entre o povo um homem que se pusesse em pé diante da brecha. Não te levantei eu do nível mais baixo a que um homem pode cair? Não te livrei eu? Não te libertei eu? Sim, considera, eu te dei o dom da fé e ela será grande...

Eis que eu sou o Senhor teu Deus, e eu te dei o dom de expulsar demônios. Tu imporás tuas mãos sobre os enfermos, e eles sararão. E eu, o Senhor, proverei tuas necessidades e grande será tua fé.

Quando a interpretação chegou ao fim, eu estava em lágrimas. O irmão Mattsson-Boze aproximou-se, pôs o braço ao redor de meus ombros e disse: "Vá com Deus, Robert. Isso é apenas o começo".

No dia seguinte, estava almoçando com Bosworth, quando ele sugeriu:

— Robert, eu gostaria de ir à África com você.

— Comigo? — perguntei surpreso. — O que o senhor pretende?

— Poderíamos trabalhar juntos por algum tempo. Tenho agendadas algumas campanhas na África do Sul no próximo mês. Por que você não vai comigo para ser meu "Sexta-feira"*? Isso pode ajudá-lo a projetar-se num ministério ainda maior.

— Parece muito convidativo — repliquei —, mas vou orar a respeito durante alguns dias, antes de tomar uma decisão.

Algumas semanas se passaram, e eu estava a bordo de um navio em companhia de Bosworth, com seus 75 anos, voltando

*Personagem coadjuvante da novela *Robinson Crusoé*, de Daniel Defoe, editada inicialmente em 1719. Crusoé, náufrago e perdido em uma ilha, enquanto supera as dificuldades de seu desterro, reflete sobre os valores da existência humana e se reaproxima de Deus. Sexta-Feira é assim chamado em função do dia em que foi salvo de canibais por Crusoé. Este o ensina a falar inglês, procura transmitir a ele seus valores éticos e religiosos e, quando volta para a Inglaterra, leva-o consigo.

à Cidade do Cabo. Após alguns dias alegres na companhia de Joyce e dos meus filhos, viajamos de carro a Carnarvon para dar início à nossa campanha. Durante o reavivamento, bem como nos dez meses seguintes, fui o companheiro constante de Bosworth. Aonde quer que fôssemos, partilhávamos o mesmo quarto. Ele pedia, todas as noites, que eu colocasse seis lápis apontados e um bloco de papel na mesinha ao lado de sua cama.

— Para que é isso? — perguntei meio zombeteiramente na primeira noite.

— O Senhor me dá meus sermões durante a noite — ele explicou —, e assim registro por escrito o que ele me dá.

Eu jamais ouvira falar desse método para preparação de sermão, por isso estava ansioso por vê-lo em ação. Efetivamente, cerca de meia hora depois que se deitou para dormir, o Espírito Santo o despertou e se sentou e começou a escrever como doido. Depois de alguns minutos, apagou a luz e voltou a dormir. Mas não por muito tempo. Passados cerca de vinte minutos, a luz estava acesa de novo, e eu podia ouvi-lo escrevendo. Antes de amanhecer, ele provavelmente foi despertado dez ou doze vezes.

Às 7h da manhã, ele já estava de pé. Aproximou-se de minha cama com seu bloco de papel na mão.

— Olhe aqui, Robert — ele falou. — Aqui está o sermão que o Espírito Santo me deu durante a noite.

Peguei o bloco, e ali estava: um sermão perfeito, completamente organizado e plenamente sustentado com muitas passagens das Escrituras.

— Que maneira de preparar um sermão! — falei. — O senhor não está cansado?

— Cansado? — ele riu. — Quem jamais ficou cansado ouvindo o Espírito Santo?

Por dez meses observei aquele homem idoso obtendo seus sermões daquela maneira. E, quando chegava o momento da pregação, a unção de Deus vinha sobre ele com tal poder, que grandes congregações acompanhavam fascinadas suas palavras, e milhares chegaram a conhecer Jesus por meio de seu ministério.

Minha breve associação com Bosworth abriu-me as portas para uma nova fase do meu ministério. Logo comecei a viajar a lugares cada vez mais distantes para pregar o evangelho, e, com isso, fiquei fora de casa por meses seguidos.

Não posso afirmar que isso foi fácil. Mas, durante os meses que convivi com Bosworth, aprendi muito sobre a consagração requerida para alguém tomar a cruz e seguir Jesus. Todas as noites ouvira aquele velho mencionando o nome da mulher em oração e percebia a saudade que sentia, assim como eu, de Joyce. Ainda posso citar a boa disposição com que fazia todo esse sacrifício por amor a Jesus. Assim, logo verifiquei que Deus me queria à sua disposição, pronto a ser enviado aonde quer que desejasse.

Joyce mostrou-se uma princesa real por todos aqueles primeiros anos de meu ministério. Eu sabia que muitas viagens eram duras para ela, mas jamais se ouviu uma palavra de queixa da sua boca. Ela estava sempre em casa, orando por mim e tentando ser, a um só tempo, mãe e pai para as crianças. Conversávamos e orávamos a respeito de cada viagem que eu fazia e, quando estava claro para nós dois que era tempo de eu partir de novo, ela estava sempre de acordo.

Poucas pessoas compreendem os problemas particulares que um casal, vivendo essa espécie de vida, enfrenta. Era difícil manter o tipo de integração familiar que eu queria, mas Deus me mostrou algumas coisas que eu podia fazer para compensar. Embora saísse caro, estabeleci a prática de manter-me em contato com Joyce por telefone, sempre que possível. Vivíamos pela fé desde que eu havia entrado no ministério, assim eu estava confiante de que Deus supriria mais essa necessidade por causa de nossa família. E como eu aguardava ansioso aquelas conversas com Joyce! Mas eu achava certa graça quando ela, todo mês, me fazia a mesma pergunta: "Querido, como vamos pagar o aluguel *este mês*?"

Decidi também que, uma vez a cada dois anos, eu levaria a família toda comigo em uma viagem missionária. Isso contribuiu muito para fortalecer os laços familiares e para proporcionar aos filhos maior compreensão daquilo que eu estava fazendo. Ao longo dos anos, fizemos muitas viagens juntos pelos Estados Unidos e por toda a Europa.

Houve, porém, ocasiões de provas severas. O ministério entre o povo do Cabo não foi tão difícil; era um lar para mim. Mas as várias viagens ao exterior eram, muitas vezes, cansativas.

Nunca esquecerei a ocasião em que tive de voar depressa para casa. Joyce me telefonara avisando que Lionel, nosso segundo filho, havia sofrido um sério acidente e estava hospitalizado.

Quando cheguei ao Hospital Groot Schuur, Joyce estava à beira da histeria. Lionel estava brincando com bombinhas de estalo. Vinte e cinco delas, que estavam em seu bolso traseiro, haviam explodido. Havia extensas lesões internas. Os médicos diziam que somente uma operação de emergência podia salvar-lhe a vida.

Imediatamente o Diabo cochichou: "Se você estivesse em casa, como um pai cuidadoso deveria estar, isso não teria acontecido". Segurei a mão de Joyce e juntos oramos fervorosamente para que Deus tocasse Lionel.

Ele estava tão gravemente ferido que nem podia ser transferido da cama para a mesa de operações. Por isso haviam preparado, ao redor da cama, um teatro de operações de emergência, enquanto um dos médicos me apresentava um papel para assinar.

— Este formulário nos dá permissão para executar a cirurgia — explicou o médico. — Sendo ele menor, precisamos de sua autorização.

— Doutor — eu disse —, não assinarei esse papel sem antes impor minhas mãos sobre meu filho e orar por ele.

— Não há tempo para isso! — o médico advertiu. — Não percebe que o menino está morrendo?

— Eu sei disso — respondi. — Deixe-me impor as mãos sobre ele.

— Assine o papel! — exigiu o médico.

— Não posso até ter orado.

Com isso, o médico retirou-se, zangado, para voltar com um dos médicos principais do hospital.

— Sr. Thom — disse o médico que acabara de chegar —, se não assinar este papel e o menino morrer, o senhor será preso!

— Mas eu pedi a este doutor que me permitisse impor minhas mãos sobre meu filho e orar antes da operação — insisti. — Não vejo por que o senhor não pode conceder-me esse pequeno favor.

Ele me lançou um olhar de pouco caso e falou bruscamente:

— Dou-lhe dois minutos para orar por ele.

Quando me aproximei da cama de Lionel, percebi a agonia em que ele estava.

— Filho — falei —, vou fazer aquilo em que creio; vou impor minhas mãos sobre você em nome do Senhor Jesus Cristo e, depois, vou assinar aquele papel que a lei exige.

Então simplesmente impus as mãos sobre aquele corpo tremente e fiz uma simples oração de fé, clamando pela cura de acordo com a Palavra de Deus. Ao afastar-me da cama, "ouvi" Deus dizer: "*Eu sou o Senhor teu Deus, que cura todas as tuas doenças*".

Assim que deixei o quarto, os médicos e as enfermeiras se apressaram em começar o trabalho. Observei, por um momento, à medida que eles entravam. Logo que se fechou a porta, curvei a cabeça ali no corredor e comecei a louvar a Deus. Eu sabia que Deus ouvira minha oração.

— Como ele está? — Joyce quis saber quando voltei à sala de espera.

— Ele está bem — respondi confiantemente.

Justamente nesse momento, Joyce olhou por cima de meu ombro e empalideceu. Virei-me para ver um grupo de médicos vindo em nossa direção. Eram os mesmos médicos que haviam entrado apressadamente no quarto de Lionel alguns minutos antes. Apressei-me em ir ao seu encontro.

— Alguma coisa errada? — perguntei.

O Diabo cochichou: "Ele morreu!"

— Bem, sr. Thom — o médico-chefe falou, com o rosto cor de cinza —, não sei exatamente como explicar o que aconteceu, mas quando levantamos a coberta de cima de seu filho, não havia sinal de ferimento, a não ser uma pequena cicatriz.

Não pude evitar sorrir abertamente.

— Eu posso explicar isso, doutor. Os senhores são muito lentos! O doutor Jesus realizou a operação enquanto os senhores esperavam no corredor!

Mais tarde eu disse a Joyce:

— Eu gostaria que o querido e velho Bosworth estivesse aqui para ver a expressão nos rostos daqueles médicos!

— Sim — Joyce respondeu —, ele teria morrido de rir!

14
Um gerador com mostarda e maionese

Em 1956 fiz outra viagem aos Estados Unidos, mas sozinho desta vez. Eu havia recebido convites para falar em muitas igrejas e em algumas convenções da Fraternidade do Evangelho Pleno. Comecei a sentir a consciência pesada por causa do nosso trabalho entre o povo pobre da Cidade do Cabo, na África. Vínhamos acrescentando mais e mais equipes de testemunho ao nosso grupo e estávamos distribuindo milhares de livros. Mesmo assim, ainda havia multidões não atingidas pelo evangelho. Ocorreu-me, enquanto orava, que poderia realizar um trabalho de evangelização melhor se tivesse outro gerador de eletricidade. Eu sabia, por experiências anteriores, que multidões acorreriam a uma área iluminada onde o evangelho estivesse sendo pregado.

Enquanto orava, tive uma visão. Era como um filme passando diante de meus olhos, um filme de um gerador portátil Holman. Era verde, com capacidade de 110-115 volts, 1.500 watts e custava 300 dólares.

Tive o impulso de pegar o telefone imediatamente e tentar localizar aquele gerador. Mas, assim que comecei a virar as páginas amarelas da lista telefônica, pareceu-me que Deus me falava: "*Não, você não precisa sair à procura desse gerador. Confie em mim, eu o levarei até ele*". Diante disso, pus de lado a lista telefônica e deixei o assunto nas mãos de Deus. Entretanto, com o pressentimento de que, não demoraria muito, eu precisaria da informação fornecida na visão, anotei os detalhes em uma pequena caderneta que guardei no bolso do paletó.

Dias depois, deixei Mineápolis e voei até Fort Worth, no Texas, para falar noutra convenção. Depois de um dos cultos, alguns senhores cristãos se sentaram ao redor de uma mesa comigo em um restaurante para conversar a respeito do trabalho na África.

— Nós gostaríamos muito de ajudá-lo — um dos homens falou. — Há alguma coisa de que vocês estejam precisando?

— Há, sim — admiti. — Precisamos de um gerador elétrico.

— Sabe qual o tipo?

— Sim. Precisamos de um gerador Holman, de 110-115 volts, 1.500 watts. Deus me mostrou esse gerador em uma visão.

— Mostrou? Quando?

— Há poucos dias. Sei exatamente como ele é; até quanto custará.

— Escutem! — um dos homens se adiantou. — Há um cidadão, no centro da cidade, que dirige uma loja de excedentes do exército. Por que não vamos vê-lo? Quem sabe se ele tem um bom gerador à venda?

Todos concordaram que devíamos ir imediatamente e, desde que a ideia não era minha, concordei em acompanhá-los porque essa poderia ser a vontade de Deus.

Quando chegamos à loja, um de meus amigos disse ao proprietário que estávamos à procura de um gerador elétrico portátil.

— Sim, senhor! — ele nos atendeu. — De que tamanho precisam?

— De um pequeno — respondi, sem pretender divulgar os detalhes. — Por que o senhor não nos mostra o que tem em estoque?

— Certo — o negociante concordou. — Acho que tenho exatamente o que procuram aqui deste lado — E nos levou a outra sala para mostrar um grande gerador pintado de vermelho brilhante.

— Não é uma beleza? — perguntou, sorrindo.

— Sim, é bonito, sem dúvida — respondi —, mas não é o que eu quero.

— Mas espere até ouvir o preço! — ele disse. — Este gerador poderá ser seu por 375 dólares, e esse é o melhor portátil que eu tenho.

— Não — falei — essa não é a cor certa.

Acho que ele pensou que eu estava brincando porque ignorou completamente o que eu disse e me propôs um preço mais baixo.

— Trezentos e cinquenta?

— Não, não posso comprá-lo.

— Trezentos e quarenta e cinco?

— Não, o senhor não compreende. Não é a cor certa. O senhor só tem esse?

— Oh, não — ele replicou. — Tenho mais. Olhe aqui, que tal este?

Estava pintado de cinza.

— Não — insisti —, essa também não é a cor certa. O senhor não tem outro?

Ele olhou para mim como se eu fosse algum maluco. — Bem, tenho este aqui cor de laranja e aqui outro, vermelho e este, azul. O senhor gosta de alguma destas cores?

— Não — respondi —, nenhuma dessas cores satisfaz. Há mais um que o senhor não nos mostrou.

— Não — ele disse —, os senhores viram todos os meus portáteis.

— O senhor tem certeza?

Foi então que um dos companheiros que vieram conosco gritou: — Ei, camaradas, há um escondido aqui atrás!

— Oh, sim — o proprietário falou —, eu havia esquecido *esse*! — O homem se afastou e puxou o gerador para onde pudéssemos todos vê-lo. Imediatamente meti a mão no bolso do paletó e tirei minha caderneta.

— Prestem atenção, agora — falei. — Esta é minha caderneta de anotações e aqui está escrito aquilo de que preciso. De que marca é esse gerador?

— Holman.

— Certo. Qual é a cor?

— Verde.

— Qual é a voltagem?

— 110-115 volts.

— Quantos watts?

— 1,5 quilowatt.

— Quanto dá isso em watts?

— Mil e quinhentos watts.

— Muito bem. Qual é o preço?

— *Diga-me*.

— Não, diga-me *o senhor*.

— Certo. Trezentos dólares.

Com um largo sorriso no rosto, caminhei até perto do homem e passei às suas mãos minha caderneta.

— Amigo — falei —, quer ter a bondade de ler o que está escrito aí? Foi isso o que Deus me disse faz poucos dias. — Ele passou os olhos pela minha lista de especificações e balançou a cabeça em sinal de admiração.

Finalmente aquele gerador, que viria a ser valioso nas muitas reuniões ao ar livre que eu promoveria quando voltasse à Cidade do Cabo, foi embarcado para a África.

Entretanto, ainda havia um grande problema a enfrentar. Como eu transportaria aquele gerador quando retornasse à África? Eu não possuía automóvel. Era muito difícil entrarem carros na África. Enquanto eu estava no serviço militar, haviam-me permitido usar veículos do Exército. Mas agora, vivendo por minha própria conta, eu tinha de caminhar ou pedir carona aonde quer que fosse.

Quanto mais eu pensava, mais certeza tinha da inutilidade daquele gerador sem um carro para transportá-lo. À vista disso, resolvi requerer ao governo uma licença especial de importação, assim que voltasse à África, de modo que eu pudesse comprar um carro de fabricação norte-americana.

Muitos de meus amigos me avisaram quão difícil era obter tais licenças. Somente as pessoas muito importantes conseguiam importar carros, disseram-me, e, a menos que algum alto funcionário do governo usasse sua influência pessoal em meu favor, seria inútil tentar.

Um de meus amigos forneceu-me o nome de um senador cristão que seria capaz de ajudar. Mas, quando orei sobre como proceder, pareceu-me que Deus dizia: "*Tudo o que você precisa fazer é pedir-me; você não precisa entrar em nenhum conchavo; se você apenas pedir em meu nome, eu o farei*".

Por isso, decidi não falar com o senador e, em vez disso, fui diretamente ao escritório de importação do governo e solicitei um formulário para requerer uma licença de importação. Escrevi no formulário que queria um automóvel Chevrolet, modelo 1956, com as cores ouro e amarelo. Fui, então, para casa e contei a Joyce o que havia feito.

— Ouro e amarelo? — ela gracejou. — Por que essas cores tão malucas?

— O que é que há? — retruquei. — Você não gosta de mostarda e maionese?

— Bob — ela disse rindo —, onde você já ouviu falar de um pregador guiando uma coisa assim? Sou capaz de apostar como eles nem mesmo *fabricam* um carro pintado desse jeito.

— Fabricam, sim — repliquei. — Eu vi um em minha última viagem aos Estados Unidos e, então, decidi, naquele dia e hora, que era assim o carro que eu queria!

Ela se deixou cair pesadamente na grande cadeira da sala e riu até as lágrimas. — Oh, Bob — ela falou entre gargalhadas —, você é demais!

Bem, não parecia muito fácil que eu viesse a obter a licença de importação, mas eu tinha a promessa de Deus e, por isso, continuava firme na fé. Enquanto estava esperando, encontrei-me certo dia com um missionário que tentava obter uma licença para importar um caminhão.

— Você sabe — ele falou —, essas licenças valem seu peso em ouro nestes dias.

— Sim, eu sei — respondi. — Você espera obter a sua?

— Bem, será difícil — ele replicou —, mas consegui a interferência de um senador, por isso continuo esperançoso.

Mais tarde, conversando com ele, verifiquei que o senador era o mesmo que me fora recomendado por meu amigo.

— Bem — falei, — também preenchi um requerimento, mas encaminhei diretamente ao escritório de importação.

— Você fez isso? — o missionário caçoou. — Sabe aonde seu requerimento vai chegar?

— Não. Aonde?

— Na cesta de lixo!

Embora isso parecesse desencorajador, eu continuava louvando a Deus por aquela licença. Cerca de duas semanas após eu ter dado entrada no requerimento, recebi uma carta do escritório de importação. Quando abri o envelope, lá estava a licença.

— Aqui está ela! — gritei para Joyce.

— Isso é realmente a licença? — ele duvidou.

— Sim. Deus vai dar-nos um carro!

— O-lá-lá — ela exclamou. — Aí vem mostarda e maionese!

— Seria melhor que você acreditasse — brinquei. — Deus me dá o que eu peço!

E, agora que eu havia conseguido a licença, estava pronto para enfrentar o grande obstáculo seguinte. E como ele era grande! Eu tinha uma licença, mas não tinha dinheiro.

"Como você pode pensar em conseguir um carro sem dinheiro?", o Diabo zombou. Não tendo uma resposta satisfatória para tal pergunta, resolvi ignorar o pensamento e deixar que Deus cuidasse dos detalhes.

Posteriormente, naquele mesmo ano de 1956, fiz outra viagem aos Estados Unidos. Dessa vez encontrei um bom amigo cristão, Alberto Seitz, que se ofereceu para me transportar com sua caminhonete aonde eu quisesse ir. Assim, durante dois meses e meio, viajei largamente pelo país na sua caminhonete. Toda vez que cruzávamos com um Chevrolet pintado de ouro e amarelo, eu falava alto e claro:

— Agradeço-te, Senhor; essa é a pintura do carro que eu quero.

Alberto ria e dizia:

— Você realmente acredita que vai consegui-lo?

— É claro que acredito — eu replicava. — Deus me disse!

Finalmente chegamos a Hampton, em Iowa, e Alberto tinha de voltar para casa. Deixou-me na residência de um irmão em Cristo chamado Floyd Methfessel, que devia levar-me a Mineápolis, onde eu pregaria em uma convenção dos Homens de Negócio do Evangelho Pleno, no dia seguinte.

Em uma hora, Floyd estava pronto para a viagem. Assim que passamos a correr na estrada principal, ele quis saber tudo acerca do trabalho que eu estava fazendo para o Senhor na África. Expliquei sobre as equipes de testemunho e as reuniões ao ar livre e como, muitas vezes, viajávamos de carona de um lugar para outro.

— Irmão Thom — ele disse —, você precisa de um carro na África, não é verdade?

— Oh, sim — respondi —, mas o Senhor vai cuidar disso. Eu já lhe pedi um Chevrolet novo.

— Ah, é isso? — ele comentou. — E de que cor você gostaria que fosse o novo Chevrolet?

— Ouro e amarelo — respondi. — Mostarda e maionese.

Ele se desmanchou em tremendas gargalhadas.

— Por aqui, a maior parte dos pregadores guia carros *pretos* — ele disse.

— Eu sei — respondi —, mas eu gosto mais de ouro e amarelo.

— Está bem, cada um com seu gosto pessoal — ele caçoou.

Quando chegamos ao meu hotel em Mineápolis, Floyd me disse:

Irmão Thom, quero que venha visitar-me dentro de dois meses. Pode ser?

— Bem, acho que sim — respondi —, puxando minha agenda do bolso. Deixe-me ver; sim, posso voltar aqui dentro de dez semanas.

— Ótimo! — ele exclamou. — Esperarei ansioso a sua visita! — E com isso partiu.

No dia seguinte, começou a convenção dos Homens de Negócio do Evangelho Pleno, no mesmo hotel em que eu estava hospedado. Oradores notáveis ministraram durante toda a semana, e o Espírito Santo foi derramado sobre muitas pessoas. Houve uma reunião, particularmente, que jamais esquecerei. Demos Shakarian, presidente da Associação Internacional dos Homens de Negócio do Evangelho Pleno, estava ali naquela noite. Também estava presente o dr. Mordecai Ham, evangelista batista que havia levado Billy Graham a Cristo.

No fim do culto, foi feito um convite aos interessados que quisessem ir a uma sala designada como sala de oração. Assim que o convite foi anunciado, dirigi-me rapidamente para a sala de oração para ajudar da maneira que pudesse. Mas, para surpresa minha, a sala estava tão cheia que só consegui ficar na entrada e orar em silêncio pelos que estavam lá dentro. Depois de ter orado por algum tempo, levantei a cabeça e fiquei um tanto surpreso ao deparar com Mordecai Ham de pé, ao meu lado, observando tudo o que acontecia!

Inúmeras pessoas na sala de oração receberam o batismo no Espírito naquela noite e falaram em línguas. Entre elas havia bom número de ministros luteranos, o que, em 1956, era praticamente inaceitável. Enquanto o Espírito Santo descia sobre essas pessoas, Mordecai Ham voltou-se para mim, chorando: — E pensar que eu venho combatendo a manifestação de línguas por quase 60 anos!

Voltei para meu quarto, naquela noite, rejubilando-me no Espírito: "Senhor", disse comigo mesmo, "isto é maravilhoso! Todas as classes de pessoas estão se submetendo ao Espírito Santo!".

Daquela convenção fui a muitas outras reuniões e testemunhei centenas de milagres de salvação e cura. Mas as dez semanas terminaram, e eu sabia que devia voltar à casa de Floyd Methfessel, como prometera.

Na verdade, eu não tinha ideia de por que deveria voltar à casa de Floyd, mas Deus parecia assegurar-me que essa era a sua vontade. E tal impressão foi confirmada quando meu caminho cruzou com o de Albert Seitz e sua caminhonete novamente, e ele se ofereceu para levar-me à casa de Floyd uma vez mais!

Era aproximadamente meia-noite quando chegamos à casa de Floyd; tudo estava às escuras. Como Albert já estava fora do carro, disse:

— Espere aqui, vou ver se consigo despertar alguém. — Deixou a caminhonete com o motor funcionando e desapareceu na escuridão.

Sentindo o cansaço da longa viagem, resolvi descer para espichar o corpo. Os faróis da caminhonete estavam acesos e iluminavam a grande garagem dupla de Floyd. Despreocupadamente, olhei através da vidraça das portas daquela garagem. Vi lá dentro, iluminado pelos faróis, um Chevrolet ouro e amarelo.

Em poucos minutos, Albert estava de volta, pegando minha bagagem e levando-a para a casa. Depois que entramos e trocamos cumprimentos, Floyd me perguntou:

— Você espiou na garagem, não espiou?

— Espiei — admiti, sorrindo.

— E o que foi que você viu?

— Vi um Chevrolet, um Chevrolet ouro e amarelo.

— É isso mesmo — ele disse. — Aquele carro é *seu*! O carro que o Senhor me disse para comprar para você!

Meus olhos se encheram de lágrimas à medida que descíamos as escadas rumo à garagem e ele me entregava as chaves.

— Aí está — ele disse. — Tome conta dele. É todo seu.

Quando me sentei atrás do volante daquele carro novo em folha, tudo o que eu pude fazer foi curvar a cabeça e dizer chorando:

— Eu te agradeço, Jesus! Eu te agradeço! Eu te agradeço!

Quando voltei à África, pus imediatamente meu "mostarda e maionese" em atividade. Encaixei meu gerador e viajei a muitas aldeias para pregar o evangelho ao ar livre. Multidões compareceram, tanto para ver o carro e a luz elétrica como para ouvir o evangelho. E Deus honrou sua palavra e milhares foram salvos e curados.

Certa noite, realizamos uma reunião em Athlone, subúrbio da Cidade do Cabo. Sem que eu soubesse, estava presente na reunião uma senhora Beades, que costumava frequentar a igreja no passado e sofria de uma ruptura na bexiga. Seis anos atrás, quando um bandido invadiu seu apartamento no segundo andar, ela se trancou às pressas no banheiro. Em pânico, tentou sair pela janela, mas sofreu uma queda e se feriu gravemente. Levaram-na rapidamente ao hospital, onde foram feitas chapas de raios-X. As chapas mostraram uma ruptura na bexiga e vários ossos fraturados. Mas, sem dinheiro suficiente para a cirurgia na ocasião, ela pediu que a levassem para casa, onde tentaria recuperar-se como fosse possível.

O doloroso resultado foi que, depois do acidente, a sra. Beades só conseguia reter pequena quantidade de líquido na bexiga. Durante seis anos, ela não ousara beber uma xícara de café ou de chá antes de ir para a cama. Nem mesmo tinha condições de frequentar a igreja, ou outro lugar qualquer, por causa disso. Era um milagre que tivesse sobrevivido; mas evidentemente Deus a estava poupando e dando-lhe tempo para que se recuperasse de sua frieza espiritual.

Chegou então a noite em que a sra. Beades compareceu à nossa reunião em Athlone. Sentada ali, ela me ouviu dizer: "Se há alguém que deseja reconciliar-se com o Senhor esta noite, fique de pé; eu vou orar por você.". Ela se pôs de pé, juntamente com muitos outros, e voltou para o Senhor.

Após a oração eu disse: "Agora, se há alguém que está doente, venha aqui à frente; daqui a alguns minutos vou orar pelos enfermos".

No entanto, a sra. Beades apenas continuou de pé onde estava, fixada ao chão. Era difícil para ela crer "nesse negócio de cura". Sua igreja ensinava que os dias dos milagres pertencem ao passado e que a cura não é para hoje. Por isso ela achou melhor ficar onde estava e observar.

Na noite seguinte ela voltou. Quando fiz o convite para a cura, ela estava entre os primeiros a virem à frente. Quando chegou o momento de orar por ela, perguntei:

— Senhora, do que deseja ser curada?

— Senhor — ela respondeu —, eu não vim aqui para o senhor orar por mim, para curar-me; eu vim para dizer ao senhor e a todas essas pessoas aqui presentes que, *na última noite*, se operou em mim uma cura maravilhosa.

— Na última noite? — Eu não conseguia me lembrar de ter orado por ela.

— Sim — ela confirmou. — Quero dizer-lhe que na última noite vim aqui com uma ruptura na bexiga. Nos últimos seis anos, eu só conseguia reter muito pouco líquido em meu corpo. Mas, na última noite, enquanto o senhor estava orando pelos outros, algo estranho aconteceu. Senti uma mão invisível massageando minha bexiga... — Nesse momento, a sra. Beades começou a chorar.

Eu nunca ouvira algo parecido antes.

— Diga-nos exatamente como a senhora se sentiu — pedi, provocando mais informações.

— Oh — ela disse, sorrindo por entre lágrimas —, foi realmente embaraçoso! Foi como se dedos quentes massageassem a minha bexiga. Não consigo dar uma explicação melhor do que essa. Tudo o que sei é que fui para casa e tomei uma xícara de café com meu marido antes de deitar, algo que não faço há seis anos.

— E isso não lhe trouxe nenhuma perturbação?

— Não. Não precisei levantar-me a noite inteira. Por isso, quando acordei esta manhã, percebi que tinha sido curada.

— E a senhora tinha ruptura na bexiga?

— Sim — ela respondeu —, minha ficha está no Hospital Groot Schuur. Tenho uma nova radiografia marcada para terça-feira, para uma provável cirurgia.

Enquanto eu conversava com ela, Deus me mostrou que, embora sua bexiga estivesse curada, a sra. Beades ainda sofria o efeito das fraturas que não haviam sido curadas por completo. Então simplesmente impus minhas mãos sobre ela e a declarei inteiramente curada em nome de Jesus. Ela tremia sob a ação do poder de Deus.

— E, agora — perguntei —, o que aconteceu?

— Oh! — ela exclamou. — Senti de novo aquela mão massageando meus ossos! Eles estalaram no momento em que se ajustavam aos seus lugares!

Na terça-feira, como depois me contou a sra. Beades, ela foi ao hospital para ser radiografada. Enquanto estava na sala de espera, relatou aos outros doentes não hospitalizados o que havia acontecido. Não demorou muito, dois médicos que ouviam a conversa disseram-lhe: — Senhora, sua conversa está perturbando os outros pacientes. Venha conosco.

Levaram-na a um quarto e lhe ofereceram uma cadeira. — Agora, então — eles disseram —, conte-*nos* a história que estava contando àquelas pessoas lá fora.

Então, enquanto ouviam sem acreditar, ela repetiu tudo. Finalmente, o mais velho dos dois disse ao mais moço: — Traga a ficha dela.

Dentro da pasta da sra. Beades, eles encontraram as chapas de raios-X que mostravam as fraturas e a ruptura da bexiga. — Não saberemos se houve alguma alteração enquanto não fizermos novas radiografias — o médico mais idoso falou.

Foram, então, para a sala de raios-X e, em seguida, ficaram em um consultório esperando o resultado. Após cerca de uma hora, o médico entrou e, em silêncio, olhou para a sra. Beades por um momento. Por fim, um tanto abruptamente, falou:

— Pode ir para casa, sra. Beades; a senhora está curada.

— Louvado seja o Senhor! — ela falou, rindo. — O que foi que eu disse aos senhores?

O médico sorria tolamente enquanto ela saía do quarto.

Quando a sra. Beades me contou essa história vários dias depois, eu disse baixinho: "Agradeço-te, Senhor, por um gerador e por um carro cor de mostarda e maionese!

15
Safári a Tonetti

Em 1959 comprei uma grande tenda verde medindo 20 m por 40 m, que mostrou ser um lugar ideal para realizarmos as reuniões. Depois de termos armado a tenda em muitos lugares na Cidade do Cabo e arredores, parecia que Deus estava dizendo para eu levar minha família em uma longa viagem pela África do Sul. Meu objetivo era alcançar um lugar chamado Tonetti, a cerca de 2 mil quilômetros de distância, no longínquo nordeste da África do Sul. Era uma área de densas trevas espirituais, onde o povo se consultava com feiticeiros e adorava demônios.

Quando casualmente sugeri a Joyce que ela e as crianças também fossem, o rosto de todos se iluminou de satisfação.

— Que ideia excelente! — Joyce exclamou. — A que distância iremos?

— Dois mil a dois mil e cem quilômetros. Um lugar chamado Tonetti, nas proximidades do Parque Nacional Kruger.

— Mas esse é o reino dos leões, não é? — Ela parecia assustada.

— Sim. E o reino das cobras, também.

— Eu pensaria em lugares melhores para ir acampar.

— Mas nenhum seria tão emocionante, querida — provoquei-a.

Os meninos começaram a tagarelar ao mesmo tempo. Leões e cobras eram algo realmente emocionante para eles. Mas Joyce não estava tão calma.

— Vai dar tudo certo — garanti a ela. — Não viajaremos através do parque, então será totalmente seguro.

— Está bem — ela disse resignadamente. — Se Deus quer que vamos até lá...

Assim, na semana seguinte, Joyce, eu e as seis crianças mais novas (tínhamos oito na ocasião) nos esprememos dentro do Chevrolet amarelo e ouro e rumamos para o norte, levando a reboque nossa tenda e nosso gerador.

Foi uma viagem longa e cansativa que levou vários dias. À noite, parávamos na estrada e armávamos uma pequena barraca de acampamento. Ao clarear do dia, tínhamos de estar todos de pé para a primeira refeição, preparada ao calor de uma fogueira, e prontos para uma nova etapa.

Quando finalmente adentramos a aldeia nativa de Tonetti, isso no quarto dia de viagem, nativos vieram correndo de todo lugar para ver a "maravilha de ouro". Eles gostavam especialmente das partes cromadas, sobre as quais passavam os dedos com deleite, papagueando entre si numa linguagem que eu não compreendia.

Haviam-me dito que existia uma mulher missionária trabalhando em Tonetti — a srta. Stacey —, que servia sob a direção da Junta de Missões das Assembleias de Deus Britânicas. Joyce e eu estávamos ansiosos por encontrá-la e descobrir como poderíamos ajudar. Tivemos alguma dificuldade em fazer os nativos compreender o que desejávamos, mas, quando mencionamos o nome "Stacey" três ou quatro vezes, muitos rostos se iluminaram, e eles se movimentaram para que os seguíssemos.

A srta. Stacey era uma mulher pequena, mas cheia de energia, com grande compaixão pelas necessidades do povo de Tonetti.

Logo que soube quem éramos, a razão por que tínhamos vindo e o fato de possuirmos uma tenda e um gerador elétrico, ela ficou muito contente.

— Isso é uma resposta às minhas orações — ela disse com o rosto resplandecente. — A obra aqui cresce devagar; apenas um convertido de vez em quando. Precisamos de uma maneira de alcançar muitos de uma só vez.

— Bem — eu disse —, vamos armar a tenda e ver o que acontece. Profetizo que estaremos lotados em todos os cultos.

— Assim eu *creio*! — ela disse. — Deus vai nos dar um *reavivamento*!

— A propósito — falei —, você pode fornecer-nos um intérprete?

— Sim — ela respondeu —, temos um jovem. Chama-se Danielli. Vou pedir-lhe para ajudar.

Oramos juntos por alguns minutos, dando graças a Deus pelo nosso encontro e pelo reavivamento que ele mandaria. Então saímos à procura de uma clareira grande bastante para armar a grande tenda.

Não foi difícil. Até as crianças mostraram afinco em colaborar, e à tardinha já tínhamos a tenda armada e os fios elétricos estendidos. Grandes grupos de nativos, movidos pela curiosidade, rondavam as imediações, observando nosso trabalho. Pedi à srta. Stacey que lhes falasse sobre os cultos que seriam realizados.

Naquela noite havia uma inundação de pessoas, dentro e fora da tenda, muito antes do início do culto. Quando coloquei o gerador em movimento e a luz brilhou, todos gritavam de alegria.

Chegado o momento de pregar, Danielli estava ali ao meu lado. Assim que começamos, senti que a srta. Stacey havia feito uma escolha sábia. Cada pronunciamento que eu fazia era interpretado com grande poder e unção. Às vezes, as lágrimas lhe rolavam pela face enquanto Danielli falava. Quando fizemos o apelo, muitos dos nativos atenderam, aceitando Jesus Cristo como seu Salvador.

Também oramos pelos enfermos durante aquelas reuniões. Danielli orava comigo e, oh, o amor e a compaixão que fluíam do seu coração! Depois do culto falei à srta. Stacey:

— Esse rapaz chamado Danielli, jamais vi alguém igual. Ele nasceu em um lar missionário ou conseguiu aquele poder de outra fonte?

— Não, irmão Thom — a srta. Stacey explicou —, Danielli nasceu aqui mesmo na região. Seu irmão é missionário a uma distância de dez quilômetros daqui, mas Danielli teve um mau começo.

— Sim? O que a srta. quer dizer?

— Ele estudou durante cinco anos para ser feiticeiro.

— Feiticeiro? É incrível! Como se tornou cristão?

— Bem, essa é uma história interessante. Danielli deveria receber o título de feiticeiro, após toda a preparação anterior, à meia-noite de um sábado, e os instrutores lhe disseram que Satani entraria nele vinte e quatro horas depois.

— Quem é Satani? — interrompi.

— Esse é o nome nativo para Satanás. Eles lhe disseram que Satani viria como uma chama de fogo e tomaria posse dele. Danielli deveria estar fora da cabana à meia-noite e, quando visse o fogo se aproximando, deveria abrir a boca para que Satani entrasse nele.

— E isso lhe daria poderes sobrenaturais, suponho?

Sim, eles lhe disseram que receberia o poder de vida e de morte.

— E o que aconteceu, então?

— Bem, na noite seguinte, Danielli fez como lhe foi determinado. Pouco antes da meia-noite, saiu e ficou de pé na escuridão, diante da cabana, esperando o fogo aparecer. Enquanto esperava, começou a sentir medo. Pensava em seu irmão missionário que o havia advertido repetidas vezes acerca do poder de Satani. Quanto mais esperava, maior era o seu medo.

— Sou capaz de apostar que o irmão estava orando por ele — comentei.

— E estava; ele nos contou depois. Bem, de qualquer maneira, como a meia-noite se aproximava, de repente Danielli falou consigo mesmo: "Aqui vem o fogo!". Isso o apavorou de tal maneira que seu único pensamento foi correr até o irmão tão depressa quanto suas pernas fossem capazes de fazer. Enquanto corria, ele acreditava que podia ouvir o Diabo correndo atrás dele.

— Eu não ficaria surpreso que assim fosse — falei. — O poder desses feiticeiros é mais real do que muita gente pode pensar.

— Eu sei. Também já o testemunhei. Bem, Danielli correu dez quilômetros por montanhas e vales, através de uma região infestada de leões e cobras, e, quando chegou à cabana do irmão, quase desmaiou ao gritar: "Ajude-me!". Seu irmão saiu para socorrê-lo e, depois, nos disse que sentia o poder de Satani por toda a parte. Então gritou: "Satani, eu te repreendo em nome de Jesus Cristo! Ordeno-te que deixes meu irmão em paz! Vai e não voltes nunca mais!".

— E o que aconteceu, então?

— Danielli disse que, no mesmo instante, sentiu que o poder do mal o deixava, e começou a chorar de alegria. Em poucos instantes, seu irmão o guiou a Cristo, e ele recebeu também o batismo do Espírito Santo.

— Louvado seja o Senhor! — clamei, batendo palmas. — Não é maravilhoso?

— Sim — a srta. Stacey replicou. — Deus foi bom para com Danielli. Ele será uma grande bênção neste reavivamento.

Mais tarde naquela noite, Joyce, eu e as crianças nos acomodamos para uma noite de descanso em nossa pequena barraca. Dormimos ali todas as noites. Os meninos levaram a coisa na brincadeira, achando engraçado estarmos ali espremidos como sardinhas em lata. Mas havia tanta movimentação e viravoltas que, de manhã, nos perguntávamos de quem era o pé que estava entrando em nossa boca.

Divertimo-nos a valer. Na realidade, vivíamos como reis. Podíamos comprar um grande pedaço de carne por 15 centavos e ganhávamos verduras dos lavradores que viviam nas proximidades. Cozinhávamos numa fogueira, e os nativos se mostravam muito solícitos para conosco, presenteando-nos com vários tipos de alimento. Por tudo isso nos sentíamos muito abençoados, apesar dos desconfortos comuns dos acampamentos.

Noite após noite, as bênçãos de Deus eram derramadas durante nossos cultos. Danielli estava sempre ao meu lado quando ministrávamos ao povo, e muitas, muitas pessoas experimentaram o milagre da salvação. O grande número de conversões resultou não apenas da pregação da Palavra, mas também dos sinais e milagres que impressionaram profundamente as pessoas com o poder de Jesus.

Certa noite uma mulher veio à tenda. Ela era tão encurvada que sua testa quase tocava o chão. Ela coxeava amparada a um velho cajado nodoso e, a cada passo, sua cabeça oscilava para cima levemente. Seus olhos encovados e sua boca emurchecida, mas determinada, eram sinais da vida difícil que ela havia levado. Fosse como fosse, quando chegou a hora de orar pelos enfermos, essa pobre mulher estava na primeira fila.

— Danielli — falei —, pergunte há quanto tempo ela está nessas condições. — Houve uma breve conversa entre eles.

— Nove anos — ele replicou.

Imediatamente, Danielli e eu impusemos nossas mãos sobre ela, em nome de Jesus, e dissemos: "Não deveria esta mulher, dominada durante nove anos por Satanás, ser libertada em nome de Jesus?".

Falei assim lembrando-me de como Jesus, em situação semelhante, disse: *"Então, esta mulher, uma filha de Abraão a quem Satanás mantinha presa por dezoito longos anos, não deveria no dia de sábado ser libertada daquilo que a prendia?"* (Lc 13.16). Mas então me ocorreu que o sofrimento da mulher fora causado por um *"espírito"* que a mantinha doente, como se vê de um versículo anterior no mesmo capítulo.

Tomando isso como um indício da causa do estado *daquela* mulher que ali estava diante de nós, ordenei: "No nome de Jesus Cristo, ordeno-te, tu perverso espírito de aflição, que saias dela e a deixes livre imediatamente!".

De imediato, ela lançou seu cajado ao chão, endireitou o corpo e começou a dançar de alegria, perfeitamente curada em nome de Jesus! Muitos dos que ali estavam choravam e, antes do final do culto, muitos nativos receberam Jesus como seu Salvador.

— Oh, irmão Thom! — a srta. Stacey exclamou em prantos. — O reavivamento pelo qual orei chegou!

Durante o reavivamento, o Senhor libertou muitos que estavam possuídos pelo Demônio. Algumas dessas pessoas atormentadas tentaram interromper os cultos, agindo como animais e produzindo barulhos estranhos. Mas quando repreendemos estes maus espíritos em nome de Jesus, tais pessoas foram totalmente libertadas.

Bem depressa, porém, chegou a hora em que eu soube que deveríamos iniciar a longa viagem de volta. Joyce estava muito cansada, e as crianças começavam a sentir-se entediadas. Assim, dominados por diferentes emoções, desarmamos a tenda e nos despedimos de todos.

— Jamais esquecerei estes dias maravilhosos — a srta. Stacey falou com lábios trêmulos. — Tudo isso, na verdade, foi obra do Espírito Santo!

— Sim, e isso é apenas o começo — respondi. — Assim que a irmã conseguir mais jovens como Danielli, o trabalho aqui prosperará. Depois abracei Danielli como se fosse meu próprio filho, entrei no carro e arranquei, enquanto milhares de nativos agitavam as mãos dando-nos adeus.

16
“Retire este homem da cidade!”

Deixando Tonetti, tínhamos planejado viajar para casa seguindo o rumo da costa leste. Essa parte da África era habitada por muitos hindus, e eu sentia como um verdadeiro desafio trabalhar entre pessoas conhecidas por sua grande resistência aos esforços missionários cristãos. Tendo mantido contato antecipadamente com um pastor em Melville chamado Bobby Mannikim, um hindu convertido, estávamos ansiosos por aceitar seu convite para pregar o evangelho nessa difícil comunidade.

Melville era uma cidade dedicada à produção de açúcar. A maior parte dos agricultores, junto às áreas mais distantes, plantava cana-de-açúcar e a vendia à grande usina para o processamento.

Logo ao entrar na cidade, percebemos tratar-se de território hindu. Quase todas as mulheres usavam o sári, e muitos animais vagueavam nas ruas. Grupos de homens olhavam com interesse nosso automóvel ouro e amarelo ao passarmos.

Foi um momento de grande alegria quando encontramos Bobby Mannikim. Embora nunca tivéssemos nos visto antes, sentimos um laço de fraternidade cristã no momento em que pusemos os olhos um no outro.

— Bem-vindo a Melville, irmão Thom! — ele gritou. — Que alegria tê-lo aqui!

Agradeci-lhe a calorosa recepção e apresentei o restante de minha família. Ficamos um pouco por ali conversando alegremente a respeito do reavivamento que, tínhamos certeza, Deus nos enviaria. Após o derramamento do Espírito de Deus em Tonetti, nossa fé estava bastante elevada para Melville.

No dia seguinte, Bobby ajudou-nos a encontrar uma área livre onde pudéssemos fincar as estacas e estender a lona. Enquanto trabalhávamos, muitos hindus rondavam as imediações procurando adivinhar o que estávamos fazendo.

À tardinha a cidade estava tomada pela notícia de que teríamos um reavivamento. Muitos dos cristãos locais compareceram ao primeiro culto, mas, para nosso desapontamento, apenas um punhado de hindus esteve presente. Alguns dias depois, no entanto, milagres de cura começaram a acontecer, e mais e mais hindus afluíam à tenda para ver o que estava ocorrendo.

Quando alguns hindus se converteram, eu sabia que enfrentaríamos problemas. Vínhamos sendo atentamente observados pelos sacerdotes hindus, e eles, com toda a certeza, sentiam-se ameaçados por nossa presença.

A multidão crescia mais e mais. Certa manhã, após um culto excepcionalmente bom na noite anterior, Bobby recebeu um chamado telefônico de um dos sacerdotes.

"Retire esse homem da cidade", o sacerdote hindu advertiu. "Se não o fizer, vamos matá-lo *esta noite.*" E, sem esperar resposta, desligou.

A cor desapareceu do rosto de Bobby. Percebi que alguma coisa estava errada.

— O que está acontecendo? — perguntei.

— Estão ameaçando matá-lo.

— Quem?

— Os sacerdotes hindus.

— Mas por quê?

— Porque você está conseguindo muitos convertidos. Eles estão muito zangados. Ou você deixa a cidade imediatamente, ou vão matá-lo.

— Esta noite?

— Foi o que o sacerdote disse. Ele estava furioso.

— O que você acha que devo fazer?

— Talvez seja melhor desarmar a tenda e arrumar as malas. Afinal, você tem de pensar em sua família.

Sentei-me em silêncio por alguns momentos, apenas pensando.

— Bobby — falei finalmente —, dê-me uma hora para orar. Preciso de alguma orientação.

Achando um lugar onde podia ficar só, coloquei o assunto diante de Deus.

"Senhor, tu me enviaste aqui nesta missão e, agora, como vês, estou sendo ameaçado. O que queres que eu faça?"

Assim que orei, Deus me apresentou de forma evidente duas passagens das Escrituras: "*Não lhe tenho dito em minha Palavra que 'virá o tempo quando quem os matar pensará que está prestando culto a Deus'* (v. Jo 16.2)? *E não lhe disse: 'Alegrem-se e regozijem-se, porque grande é a sua recompensa nos céus, pois da mesma forma perseguiram os profetas que viveram antes de vocês'* (v. Mt 5.12)*?*".

Uma hora depois fui procurar Bobby, mostrando um sorriso alegre.

— Está tudo bem, Bobby — falei. — Deus enviou-me aqui para que houvesse um reavivamento e, se isso custar minha vida, nós o *teremos*.

Naquela noite entramos na tenda como de costume; a multidão transbordava. Perto da hora de falar, senti poderosa unção do Espírito Santo descendo sobre mim. Inspecionando a multidão, notei que um sacerdote hindu me fitava da entrada ao fundo da tenda. Supus ser ele o sacerdote que telefonara a Bobby naquela manhã.

Percebi então um homem hindu, grande e musculoso, de pé na porta à minha esquerda. Ele e o sacerdote trocavam olhares.

"Bem", pensei, "se é esse o homem que eles escolheram para desincumbir-se da tarefa, fizeram excelente escolha".

Levantei-me para pregar sem saber se seria alvejado a tiros ou se aquele homem enorme atiraria uma faca na minha direção depois do culto. Eu só sabia que ele estava ali para algo que não era bom.

"Senhor", orei em silêncio, "estou em tuas mãos. Cuida de mim e glorifica teu Filho Jesus".

Naquela noite verifiquei quão desejoso o Senhor estava de honrar a fé e confirmar a sua Palavra. A pregação foi, mais do que nunca, clara e poderosa, e, quando fiz o apelo, muitos hindus vieram à frente desejosos de receber a Cristo. O sacerdote estava sobremodo irritado.

Em seguida, comecei a orar pelos enfermos.

— Senhor orei —, em nome de Jesus, ordeno que todo o sofrimento se afaste de qualquer pessoa doente nesta tenda! — Imediatamente o poder de Deus se manifestou, e muitas pessoas se levantaram e começaram a louvar a Deus pela cura física. Alguns surdos voltaram a ouvir. Outros, aleijados, começaram a pular de alegria. Enquanto o poder de Deus empolgava toda a tenda, vi de repente o homenzarrão que estava à minha esquerda voltar-se como se estivesse aterrorizado com alguma coisa. Abrindo caminho freneticamente através da multidão, ele fugiu para a escuridão da noite. Logo depois que ele sumiu, também vi o sacerdote afastar-se.

"Senhor! O que está acontecendo aqui?", perguntei em silêncio.

"Provavelmente eles foram buscar seus revólveres", assoprou uma voz.

"Não!", pensei. "Aquele homem estava aterrorizado. Algo estranho aconteceu por aqui. Ele não vai voltar."

Quando conversei com Bobby mais tarde naquela noite, ele estava tão confuso quanto eu sobre o que havia acontecido. Até bem tarde conversamos a respeito.

— Eles não vão desistir facilmente — Bobby avisou. — Somos permanentemente observados.

Na noite seguinte, a multidão era ainda maior. Eu esperava ver o sacerdote de novo (com um novo "assistente"); mas, se ele estava por ali, não consegui localizá-lo.

Para meu desalento, entretanto, ali estava o mesmo homenzarrão hindu que permanecera na porta à esquerda na noite anterior; só que, desta vez, ele estava dentro da tenda.

"Senhor", orei em silêncio, "por que permitiste que ele voltasse?" Cheguei a pensar em dirigir-me ao homem e pedir-lhe que se retirasse; mas, no caso de ele estar armado, seria perigoso. Então, resolvi que era mais sábio realizar normalmente o culto como fizera na noite anterior.

Depois de cantarmos um pouco, pedi testemunhos pessoais da congregação. O enorme hindu, de um salto, ficou em pé.

— Fuja! É uma armadilha! — Bobby sussurrou.

Fiquei preparado para abrigar-me atrás do púlpito no momento em que ele empunhasse o revólver. Por um rápido momento, o tempo parou.

Finalmente o homem gritou:

— *Louvado seja o Senhor!* Estou curado!

Meu coração virou água. Quase desmaiei ali mesmo. Sem ter o que dizer, coloquei-me de pé e adorei o Senhor em línguas.

— Estou completamente curado — o homem prosseguiu. — Ontem eu vim à reunião com más intenções. Mas, quando o senhor estava orando pelos enfermos, o poder de Deus veio sobre mim e me sinto perfeitamente bem agora!

Olhei para aquele homem com assombro.

— Qual era seu problema, companheiro?

— Eu tive terríveis abscessos por muito tempo — ele respondeu. — E muito doloridos. Mas, ontem à noite, de pé na porta de trás desta tenda, percebi o poder do seu Jesus, e senti os abscessos se rompendo.

— Venha para cá — falei. — Quero que todos ouçam este testemunho. — Rapidamente, ele veio e se colocou diante de todos.

— Conte-nos o que aconteceu quando os abscessos se romperam — pedi, com grande interesse.

— Fui para casa — ele respondeu. — Fiquei assustado quando senti os abscessos se rompendo.

— E o que foi que você descobriu ao chegar em casa?

— Encontrei grande quantidade de sangue e de pus. Toda a minha roupa de baixo estava suja. Mas a dor havia desaparecido por completo. Por isso hoje fui ao médico na fábrica de açúcar onde trabalho e pedi que me examinasse. E, milagre dos milagres, ele me disse que os abscessos estão inteiramente curados!

É difícil descrever o que aconteceu daí em diante. As pessoas começaram a chorar e a louvar a Deus, por toda a tenda. Bobby e eu enlaçamos com os braços aquele enorme hindu e o guiamos a Cristo ali mesmo. E, antes de terminar o culto naquela noite, 70 famílias hindus foram salvas. Fiquei muito tempo sob a impressão daquele culto! De fato, mesmo depois de finalmente termos regressado à Cidade do Cabo, Joyce e eu continuamos falando e comentando a respeito e, por algum tempo, ainda sentimos uma estranha ternura dominando nosso espírito.

17
“Mas, Senhor, isso é irracional!”

Em 1960 recebi muitos convites para voltar aos Estados Unidos e falar em várias convenções e igrejas. Assumindo que essa era a vontade de Deus, preparei-me para deixar minha família mais uma vez.

— Não se esqueça de telefonar para nós — Joyce disse no aeroporto. — Preciso ouvir a voz de um homem por aqui de vez em quando.

— Eu jamais esqueceria — garanti-lhe. Virando-me, depois, para os meninos, falei:

— Sejam bem comportados e obedeçam à mamãe e orem por mim todos os dias, certo?

— Nós o faremos! — eles responderam em coro. Dei-lhes um grande abraço, um beijo, e corri para o avião.

Chegando aos Estados Unidos, entrei em uma roda-viva de atividades, indo de uma cidade para outra, falando em toda a parte em enormes salas de grandes convenções ou em pequenas reuniões de oração de salas de estar.

Uma de minhas paradas foi em Lebanon, Ohio. Enquanto estive ali, fui hóspede na casa de Blaine Amburgy, cerca de 12 quilômetros longe da cidade. Blaine é um dos diretores internacionais da Associação Internacional dos Homens de Negócio do Evangelho Pleno, e a mim competia falar no dia seguinte na igreja frequentada por ele.

Sendo sábado, Blaine e sua mulher, Helen, pensaram que eu gostaria de um breve repouso.

— Vamos à cidade resolver alguns negócios — Blaine falou. — Voltaremos logo. Aproveite e descanse um pouco até nossa volta.

Há bastante comida na geladeira, se tiver fome — Helen acrescentou.

— Certo — respondi. — Isso me parece bom.

Depois que eles saíram, acomodei-me com a intenção de estudar a Bíblia e orar, preparando-me para minhas atividades ministeriais do domingo. Meu método é sempre o mesmo. Simplesmente peço a Deus que me guie à passagem das Escrituras sobre a qual devo falar. Então, leio e releio aquela passagem até ter certeza de compreendê-la profundamente. Isso, mais oração fervorosa pedindo a unção de Deus no ministério dessa passagem, costuma produzir resultados.

Assim passei a manhã: lendo, orando por compreensão, relendo, orando por mais profunda compreensão, tornando a ler.

Evidentemente Blaine e sua mulher ficaram presos em algum lugar; ao meio-dia ainda não haviam voltado e eu começava a sentir fome. Apanhei um pedaço de carne e preparei um sanduíche para mim.

No meio da tarde, o tempo estava demorando a passar. Li o jornal e fiquei atento à janela, desejando que o casal voltasse logo. "Eles não podem demorar muito mais", pensei. "Disseram que logo voltariam."

Nesse momento o telefone tocou. Eu estava me levantando para atender, quando percebi que não era o "toque" de Blaine (ele possuía uma linha compartilhada).

Quando o telefone tocou a segunda vez, simplesmente ignorei. Mas, ao terceiro toque, tive uma forte impressão de que devia atender. Pulei da cadeira e tirei o fone do gancho, levando-o ao ouvido. No outro extremo da linha, ouvi uma mulher em prantos.

— Betty — ela disse —, recebi notícias terríveis a respeito do querido irmão George!

— Oh, por Deus! — a outra mulher falou. — Qual é o problema?

— Ele está no Hospital Geral Dayton — foi a resposta. — Acharam um tumor no seu cérebro.

— Oh, não! — a outra lamentou. — É maligno?

— Sim. Dizem que não há nada que possam fazer por ele! — A essa altura sua voz falhou e ela começou a soluçar.

Fiquei sabendo imediatamente por que Deus quis que eu atendesse aquele telefonema. Continuei segurando o aparelho em minhas mãos trêmulas, sabendo que devia socorrer aquela mulher esmagada pela dor.

— Senhora — interrompi —, desculpe-me. Sei que não devia estar ouvindo sua conversa, mas o fato é que eu tive a impressão de que devia levantar este fone. Posso orar pelo irmão George?

— Mas quem é você? — a mulher perguntou, um tanto perplexa e tentando acalmar seu choro.

— Meu nome é Robert Thom — respondi. — Sou amigo de Blaine Amburgy.

— Oh! — ela exclamou. — Você é aquele homem da África do Sul que ora pelos enfermos?

— Sim, senhora, eu sou o homem.

— Betty — ela disse —, não é maravilhoso? Por que não nos unimos os três em oração, agora mesmo, em favor do irmão George?

Assim fizemos. Fiz uma oração simples de fé por aquele homem que eu nem mesmo conhecia, pedindo a Deus que removesse seu tumor em nome de Jesus, enquanto elas me acompanhavam com muitos "Amém" e "Louvado seja o Senhor!".

Quando desliguei o telefone, pensei comigo mesmo: "*Essa* foi uma reunião de oração bem estranha!". E me perguntei: "o que pode resultar daí?".

Outra voz falou: "Às vezes você faz coisas bem estúpidas...".

Quando Blaine e Helen voltaram para casa aquela tarde, contei-lhes o sucedido. Eles acharam muito engraçado, mas prometeram que me informariam se recebessem alguma notícia do irmão George.

Passadas três semanas, eu estava em outra cidade quando recebi um chamado interurbano de Blaine.

— Você se lembra daquela mulher com quem você orou ao telefone há algumas semanas?

— Sim. Alguma novidade?

— Ela foi à igreja esta tarde e testificou a respeito de sua oração pelo irmão George. Eu logo pensei que você gostaria de saber que, quando os médicos o reexaminaram, não encontraram o menor sinal do tumor.

— Louvado seja o Senhor! — falei. — Não é fantástico?

Quando desliguei o telefone, sentia-me feliz por ter obedecido à gentil inspiração do Espírito Santo. Eu via, mais e mais claramente, a importância de caminhar com fé e fazer tudo o que Deus ordena, não importando quão absurdo pudesse parecer.

Em meados de setembro, cheguei ao fim de minha série de conferências e viajei para Nova York, esperando seguir dali para Londres e, em seguida, rumo ao sul, para a Cidade do Cabo.

Eu estava hospedado no Hotel New Yorker no qual planejara passar meu último dia em Nova York. Ali recebi um telefonema de uma senhora, líder do grupo feminino de oração em uma igreja presbiteriana no bairro de Jamaica, em Nova York. Ela me consultava quanto à possibilidade de eu comparecer a uma reunião no dia seguinte e falar ao seu grupo.

— Bem, Senhor — pensei —, meus planos para sair daqui amanhã já estavam feitos, mas, se é isso que tu queres, retardarei meu voo por um dia.

Agradeci à senhora o convite e prometi comparecer.

Quando cheguei à igreja no dia seguinte, encontrei um grupo de cerca de 30 senhoras que queriam saber tudo a respeito do batismo no Espírito Santo. Poucas vezes vi um grupo tão ansioso por ouvir a Palavra de Deus! Por mais de uma hora, ensinei àquelas senhoras com simplicidade e clareza. Então me ofereci para orar por aquelas que desejassem experimentar esse relacionamento mais profundo com Jesus. Para meu espanto, quase todas elas receberam o batismo naquele dia e falaram em outras línguas!

Quando eu estava saindo da igreja, uma senhora me disse:

— Reverendo Thom. O senhor gostaria de encontrar-se com um cavalheiro amanhã? Ele quer saber mais sobre o Espírito Santo.

"Mas Senhor", queixei-me intimamente, "já adiei minha viagem uma vez! Com certeza não pretendes que eu espere *mais um dia*!". Eu estava ansioso por voltar para casa e, na realidade, não percebia nenhuma razão maior para continuar prorrogando a viagem.

Mas em seguida, de repente, lembrei-me da lição que Deus havia me ensinado tantas vezes: que *a vida de fé frequentemente envolve fazer coisas que parecem inteiramente irracionais.*

Depois de prolongada pausa, perguntei à senhora:

— Como ele se chama?

— John Sherril. O senhor o conhece?

— Acho que não. Quem é ele?

— É o redator-chefe da revista *Guideposts*. Já falei a ele a seu respeito, e ele quer muito conversar com o senhor.

— Muito bem — respondi. — Vou transferir meu voo para outro dia. Isto parece interessante.

— De manhã, ele confirmará o encontro com o senhor — ela continuou. — Onde o senhor está hospedado e qual é o número de seu quarto?

— Estou no Hotel New Yorker — repliquei, dando-lhe o número pedido.

— Obrigada — ela falou. — O senhor terá notícias do sr. Sherrill logo de manhã.

Voltei para o hotel curioso com a nova aventura a que Deus me estava conduzindo.

Na manhã seguinte o telefone tocou. Atendi um tanto ansioso.

— Alô! Aqui é Robert Thom.

— Sr. Thom. Aqui fala John Sherril, da revista *Guideposts*.

Sim, sr. Sherrill, estava esperando seu chamado. Em que posso ser útil?

— Robert, tenho feito cuidadosa pesquisa acerca do Espírito Santo e do *batismo* do Espírito, em especial. Apenas quero perguntar-lhe: é conveniente para você vir hoje ao meu escritório?

— Ficarei honrado — respondi. — A que hora devo chegar?

— Que tal ao meio-dia? Hoje estou com uma agenda de trabalho muito apertada, mas o fato é que *preciso* falar com você.

— Está certo. Aonde devo ir?

— West 29th Street. E, Robert, em vista de minha posição de redator-chefe, mantenha o assunto em sigilo por enquanto. Não faço ideia de como o pessoal aqui na *Guideposts* vai reagir diante do meu interesse pelo assunto. Mais tarde explicarei a eles.

— Eu compreendo — respondi. — Até o meio-dia.

Exatamente às 12 horas, entrei no escritório de John Sherrill. Ele me apresentou calorosas boas-vindas, fechou a porta e começou imediatamente a inquirir-me acerca do batismo no Espírito Santo. Há quanto tempo eu havia tido a experiência? Com o que se parecia? O que isso fizera por mim? E a respeito de falar línguas estranhas? A pessoa poderia, se desejasse, "ligar" e "desligar"? E quanto aos dons do Espírito Santo?

À 1 hora da tarde, ele continuava firme. Dando uma olhadela no relógio, falou:

— Reverendo Thom. Não quero encerrar já esta conversa; quer sair e almoçar comigo?

— Por certo — respondi. — Gostaria muito.

Fomos a um restaurante e continuamos nosso debate.

— Quer saber? — ele falou. — Tenho conversado com muitas pessoas interessantes sobre este assunto. De fato, não faz muito tempo que entrevistei David Du Plessis. Você o conhece?

— Oh, sim, e muito bem.

— Ele tem uma linda história, não é verdade?

— Sim, Deus o tem usado poderosamente.

O sr. Sherrill voltou em seguida às perguntas. "Está subentendido que todos falem em línguas?", "E acerca da interpretação, como funciona?", "Eu já havia interpretado?"

Terminamos o almoço, mas ele continuava muito interessado.

— Por que você não volta ao escritório comigo? — sugeriu. — Você dispõe de tempo?

— Sim — respondi. — E assim voltamos ao escritório e conversamos até às 3 horas daquela tarde. Antes de sair do escritório, com uma simplicidade quase infantil, ele me pediu:

— Reverendo Thom, quer orar por mim antes de retirar-se?

Curvamos a cabeça e senti a presença poderosa do Espírito Santo naquele escritório enquanto orávamos juntos. Eu sabia que Deus faria algo fora do comum na vida daquele homem, mas não imaginava que este era o mesmo John Sherrill que viria a receber o batismo no Espírito dois meses e meio depois, e escreveria o belo livro *Eles falam em outras línguas*,* um instrumento pelo qual tantas pessoas receberam a plenitude do Espírito Santo.

Quando regressei à Cidade do Cabo, desfrutei de alegre reunião com minha família e, por várias horas, conversamos acerca dos pontos mais importantes da minha viagem.

*Publicado pela Arte Editorial.

Naquela tarde Joyce me disse:

— Bob, sua mãe tem perguntado por você. Penso que seria bom ir vê-la amanhã.

— Está bem — respondi. — É provável que ela goste de ouvir tudo a respeito da viagem.

Assim, no dia seguinte corri para o Brooklyn, onde minha mãe estava morando. "Senhor", orei em silêncio, "concede que eu seja uma bênção para ela".

Tão-logo nos encontramos, dei-lhe um grande abraço e comecei a falar-lhe a respeito dos muitos lugares onde eu havia pregado durante minha viagem pelos Estados Unidos e dos milagres que eu vira. Minha mãe ouviu em silêncio por um longo tempo. Por fim, ela disse:

— Bob, Deus tem sido muito bom para com você. Eu gostaria muito de ouvir mais do que você tem para contar.

— Bem, mamãe — falei —, a senhora não quer ir comigo à Missão amanhã à noite para ouvir-me pregar? Vou contar tudo sobre a viagem.

De fato, lá estava ela no culto na noite seguinte. O Espírito de Deus veio poderosamente sobre mim na hora em que eu falava dos milagres que presenciara; e naquela noite minha mãe concluiu que ainda não estava salva e deu seu passo à frente, aos 72 anos de idade, para receber Jesus como seu Salvador pessoal. Fiquei maravilhado com a operação do Espírito Santo em sua vida.

Dali em diante eu a vi desabrochar em fé e obediência. Ao contrário do tempo em que ela pensava que Joyce e eu éramos completamente loucos por crermos da forma em que o fazíamos, ela começava a arriscar-se em pequenos atos de fé "irracionais" que faziam muito sentido para ela agora.

— Afinal de contas — mamãe observou —, os caminhos de Deus são mais altos que os nossos caminhos, e suas ideias fazem muito mais *sentido* do que as nossas, não fazem?

18
Vivendo e morrendo pela fé

Na década de 1960 eu estava constantemente em movimento, tal como as vindas e idas das marés. Frequentemente era "arrebatado" através do mar aos Estados Unidos, onde podia levantar fundos suficientes para financiar nossa operação na África. Depois voltava para comprar os livros e as fitas gravadas, material tão necessário ao nosso trabalho de evangelização.

Alguns de meus amigos achavam minhas viagens um pouco estranhas, visto que eram, quase sempre, aventuras improvisadas com limitado planejamento prévio. Mas eu havia aprendido a não esperar que as pessoas compreendessem esta vida de fé imprevisível à qual eu me havia consagrado.

Muitas vezes Deus me dizia para fazer uma viagem de pregações, chegando mesmo a indicar onde eu devia parar, mas com frequência sua ordem vinha em cima da hora, e eu não tinha tempo de avisar com antecedência os meus amigos sobre a minha chegada! Assim precisava prender minha respiração e cair sobre eles de surpresa, tendo fé que Deus me havia dirigido. É interessante observar que, de modo geral, Deus assim fazia!

Todavia, da perspectiva natural, tudo era incerto. Algumas vezes eu tinha um bom transporte; em outras, viajava de carona ou de ônibus. Algumas vezes meu auditório se compunha de milhares de pessoas; outras, não passava de um punhado de gente.

No entanto, em todas essas idas e vindas ao acaso, que poderiam parecer rematada loucura, Deus me levava a pessoas que necessitavam do meu ministério, assim como a pessoas que queriam cooperar comigo em meu trabalho na África.

Quanto mais eu conservava Deus e sua obra em primeiro lugar em minha vida, mais me maravilhava de como ele abria as janelas do céu e provia o dinheiro para este ministério privado de outras fontes financeiras. Não tínhamos o amparo de nenhuma denominação ou organização evangélica, nem contribuintes que fizessem doações via correio, nem programas de propaganda; contudo, Deus estava atento, de modo que recebíamos cada centavo necessário à nossa expansão africana.

Algumas vezes Deus me proporcionava as maiores ofertas nas reuniões menores. Eu acabava com dinheiro atulhado na minha sacola, nos meus bolsos e até mesmo nos pequenos bolsos da parte frontal do meu blusão!

Quando voltava ao meu quarto após os cultos, eu dizia: "Agradeço-te, Senhor, estes dólares americanos! Faze-me sábio ao investir este dinheiro na tua obra!

Quero confessar, no entanto, que algumas vezes parecia terrivelmente estranho trazer comigo tanto dinheiro e ainda ter de pedir carona para viajar de uma parte a outra. Mas eu havia resolvido que dinheiro, ofertado especificamente para nosso ministério na África, jamais deveria ser usado para outros fins. Deus cuidaria de minhas necessidades pessoais de outra maneira.

Várias vezes o Diabo me atormentou acerca do risco de viver pela fé. "Louco!", dizia ele. "Quando você morrer, não haverá dinheiro suficiente para seu enterro!"

E admito que houve ocasiões em que me surpreendi preocupado com essas coisas. Eu não tinha seguro de vida, nem de saúde, nem fundo de aposentadoria, nem dinheiro no banco. Alguma vezes cheguei a dizer a mim mesmo: "Tudo bem *viver* pela fé, mas como será *morrer* pela fé?"

Com seu modo peculiar, Deus logo me deu a conhecer a resposta a essa pergunta...

Eu estava impaciente por descer do avião na Cidade do Cabo, depois de mais uma frutífera viagem aos Estados Unidos. Mal entrei no carro, comecei a falar a Joyce da excelente viagem, das muitas pessoas que foram salvas e cheias do Espírito e, ainda, das generosas ofertas doadas para o nosso ministério. Eu falava e falava, e acho que evidenciei tanta alegria que deve ter sido difícil para Joyce dar-me algumas notícias ruins.

— Bob — ela disse por fim —, enquanto você esteve fora, perdeu um bom amigo...

— Sim? Quem?

— Bosworth.

— Bosworth? Meu velho companheiro?

— Sim. Recebi uma carta da irmã Bosworth. Ele estava com seus oitenta e poucos anos.

— Mas quando aconteceu?

— Faz mais ou menos um mês. Ela tentou entrar em contato com você, mas não conseguiu.

— Custa-me acreditar — suspirei. — Bosworth, morto!

— A irmã Bosworth quer que, na próxima viagem aos Estados Unidos, você vá visitá-la.

— Dentro de alguns meses, terei de viajar de novo — respondi. — É impossível esquecer Bosworth! O deão do ministério da cura divina partiu para a glória!

— É uma grande perda para nós — Joyce comentou, lançando um olhar para o céu —, mas tenho certeza de que ele está muito feliz lá em cima!

— Sim — suspirei —, mais feliz do que qualquer um de nós possa imaginar.

Na viagem seguinte aos Estados Unidos, fui a Coral Gables conversar com a sra. Bosworth. Por toda a viagem, vinha imaginando como ele teria se sentido em suas horas finais. Aquele homem que ganhara 1 milhão de almas para Cristo e havia ministrado cura a milhares de milhares; de que maneira morre um homem como esse?

Se eu pensava encontrar a irmã Bosworth prostrada pela dor e lamentando-se, não poderia estar mais enganado.

— Tommy — ela falou —, você precisava estar aqui; foi glorioso!

— Conte-me o que aconteceu.

— Bem, como você sabe, fazia mais ou menos um ano que ele estava preso à cama. Não que estivesse doente. Estava velho e alquebrado.

— Eu sei — respondi. — Era raro ele ficar doente.

— É isso mesmo — ela concordou. — Nem mesmo no dia em que morreu, estava doente. Mas aconteceu a coisa mais estranha. Entrei no seu quarto e lá estava ele deitado, com as mãos levantadas para o céu. E ele acenou com uma delas e disse: "Olá! Alôôô, irmã Katherine". Suponho que você o tenha ouvido falar a respeito de Katherine.

— Sim, é a senhora que faleceu há muitos anos.

— Há vinte anos. E então ele acenou com a outra mão e disse: "Alô, irmão Jim Wilson! Como vai?". Você não conheceu Jim, conheceu?

— Não.

— Faz 15 anos desde sua morte. E então ele continuou a acenar para pessoas que foram nossos amigos queridos, chamando-os pelo nome.

— Ele deve ter tido uma rápida visão do céu — falei.

— Sim, ele *teve*. E estava tão feliz e emocionado que nem mesmo percebeu que eu permaneci ali de pé ao seu lado. Ele parecia inteiramente absorvido por alguma coisa que não podia ser vista naturalmente com os olhos.

— A senhora contou esses fatos a mais alguém?

— A poucas pessoas. Alguns acharam que podiam ter sido alucinações, mas eu não aceito isso de modo algum. Ora, ele estava tão lúcido e vivaz como sempre.

— Bem, algumas pessoas não entendem essas coisas.

— Sim, e como isso é verdadeiro. Não é uma pena? Mas ainda não lhe contei a melhor parte. Por fim, ele sentou-se na cama, endireitou os ombros como um soldado e, com a voz forte, disse: "Combati o bom combate, terminei a corrida, guardei a fé". E depois, aspirando fundo, gritou: *"A-le-lu-ia!"*. No mesmo instante caiu sobre os travesseiros, deixou de respirar e partiu! — Após dizer essas palavras, ela cobriu os olhos com o lenço e chorou de alegria.

Eu saltei de minha cadeira e levantei as mãos para o céu. — Aleluia — solucei. — Não é maravilhoso? Que maneira de morrer!

Naquela tarde, ao pôr-do-sol, fui de carona até o mar e fiquei observando as ondas que davam saltos mortais na praia. À medida que o sol baixava, não pude deixar de louvar a Deus pela vida e pelo ministério de F. F. Bosworth. Cheguei a pensar que podia vê-lo, ao longe, na vaga linha do horizonte, acenando-me com ar vitorioso. Quase podia ouvi-lo dizer: "Deus nunca falhará com você, Robert. Jamais abandone a vida de fé. Viver pela fé é belo, e morrer pela fé, oh, é tão fácil!"

Então lembrei-me dele como o vi pela primeira vez no reavivamento de Joanesburgo. O ruído do bater das ondas refluiu assim que me vi sentado novamente no Maranatha Park Auditorium, ouvindo o velho e bondoso evangelista pregar a Palavra de Deus.

— Senhor — orei, depois de um longo silêncio —, quando chegar a hora de eu passar para o teu Reino, ajuda-me a partir de maneira tão vitoriosa como Bosworth o fez. — Enxuguei algumas lágrimas e lembrei-me uma estrofe da poesia de Tennyson, *Crossing the bar* [Transpondo a barreira]:

> O pôr-do-sol e a estrela vespertina,
> e, bem audível, o chamar por mim!
> É sem lamento o instante da partida,
> singrando vou por esse mar sem fim...

19
Não tratem com desprezo as profecias

Por vários anos eu vinha notando a crescente frequência de um fenômeno novo em meu ministério. Cada vez mais eu me via dizendo coisas a indivíduos e grupos que pareciam absurdas e que, todavia, se tornavam realidade miraculosamente.

A princípio, isso me deixou alarmado. Acontecia de eu estar sentado à mesa de um restaurante conversando com um amigo e, de repente, eu "via" alguma coisa relacionada com aquele amigo, algo de que eu não tivera conhecimento antes. A visão parecia tão clara que era como se estivesse olhando para uma imagem no televisor. Eu "via" que meu amigo estava prestes a fechar certo tipo de negócio ou a comprar um pedaço de terra. E me sentia impelido a dizer-lhe o que havia visto.

Depois de ter-me mostrado bastante afoito em "profetizar" desse modo várias vezes, comecei a refletir: "Thom, você precisa ter mais cuidado. Isto é um negócio perigoso, você sabe. O que acontecerá se você estiver errado? Alguém pode processá-lo".

Contudo, minha memória voltava ao dia em que fui batizado no Espírito Santo na casa de McQuade, e eu lembrava claramente

Jesus dizer: "Eu te dou o dom de profecia". Assim, de vez em quando, eu recebia revelações incomuns sobre determinadas pessoas e sentia que precisava ser obediente e ter fé bastante para dizer-lhes o que Deus queria que elas soubessem.

Quanto mais eu consentia que Deus operasse por meu intermédio deste modo, tanto mais eu aprendia a respeito de profecia. Antes de qualquer coisa, constatei a absoluta necessidade da unção de Deus. Havia ocasiões em que eu experimentava uma "implosão" do Espírito Santo e me sentia autorizado a falar profeticamente. As palavras fluíam facilmente de minha boca sempre que eu me submetia à ação do Espírito. Isso significava falar com unção.

Mas às vezes as pessoas me procuravam *pedindo* uma palavra do Senhor. Não compreendiam a importância da unção. Eu tinha de lembrar-lhes de que "... jamais a profecia teve origem na vontade humana, mas homens falaram da parte de Deus, *impelidos pelo Espírito Santo*" (2Pe 1.21).

Lembro-me de uma ocasião em que dividi um quarto com um homem cristão em um hotel na Suécia; ele vivia me perguntando se eu tinha uma mensagem de Deus para ele.

— Não — respondi. — Deus nada me disse a seu respeito.

Ele, porém, continuava me importunando. Chegou a oferecer-me um cheque de 2 mil dólares se eu profetizasse a respeito dele; e aquele cheque parecia muito tentador, porque eu estava sem dinheiro! Mas eu não ousaria falar sem a unção de Deus, por isso continuei a recusar atendê-lo.

Então, certa noite, Deus me mostrou por que aquele homem se mostrava tão insistente. Ele tinha problemas conjugais. Queria que eu lhe dissesse para divorciar-se de sua mulher. Quando percebi sua intenção perversa, resolvi continuar resistindo.

Uma ocasião ele me acordou de madrugada e perguntou:

— Deus já lhe disse algo a meu respeito?

— Não, senhor — repliquei. — Volte para a cama.

Na noite seguinte, ele me acordou outra vez.

— Deus não lhe disse alguma coisa sobre minha mulher?

— Não, senhor — respondi com firmeza. — Por que o senhor não desiste? Eu sei o que o senhor quer, mas o senhor não pode me subornar. Eu só falo quando Deus me diz para falar. — Assim, ele finalmente desistiu, para minha tranquilidade; e louvei a Deus por permitir-me reconhecer o valor da unção.

Outra coisa que aprendi sobre a profecia foi a importância de testá-la. Sempre que eu falava a alguém profeticamente, orientava essa pessoa a agir com cautela. Continuo não acreditando que uma pessoa deva lançar-se afoitamente em alguma forma de ação apenas porque alguém profetizou que ela devia fazê-lo. A Bíblia claramente nos diz: "Amados, não creiam em qualquer espírito, mas examinem os espíritos para ver se eles procedem de Deus, porque muitos falsos profetas têm saído pelo mundo" (1Jo 4.1). Esperando pacientemente em Deus pela oração e observando calmamente as circunstâncias, podemos discernir quando uma profecia particular será cumprida e se de fato deve ser cumprida.

Na década de 1960, voltei aos Estados Unidos e fiz uma parada em Lebanon, Ohio, hospedando-me novamente na casa de Blaine Amburgy. Enquanto ali estava, tive uma experiência que me ensinou outra lição acerca do ministério profético: a importância da consideração cuidadosa e da obediência controlada pelo Espírito por parte do ouvinte.

Blaine e eu estávamos jantando, certa noite, no Hotel Golden Lamb. Enquanto conversávamos, Blaine falou-me de uma área de terra que ele estava interessado em comprar. A propriedade parecia-lhe um bom investimento, mas ele não estava muito certo a respeito.

Enquanto ele falava, eu "vi" no Espírito que Deus queria derramar uma grande bênção financeira sobre Blaine e percebi também como tal bênção havia de vir: ele deveria comprar essa propriedade por um preço baixo. Posteriormente, a propriedade se valorizaria muito e poderia ser vendida com grande lucro.

Como sempre, tremi por dentro ao pensar em transmitir essa mensagem a Blaine. Estava certo de que era uma revelação de Deus, mas uma pergunta atravessava minha mente: "E se você estiver errado? E se você estiver errado?".

Por fim, concluí que deveria arriscar-me com fé e obedecer.

— Blaine — falei, respirando fundo —, o Senhor quer que você compre aquele terreno. Ele quer abençoá-lo ricamente e, se você comprar a propriedade e for paciente, verá o valor daquele terreno subir vertiginosamente.

— Mas como você sabe disso?

— Não posso dizer a você como eu sei — respondi. — Tão-somente o "vejo" em meu espírito e me sinto convencido de que é verdade. Você perderá uma grande bênção se não efetuar a compra.

— Bem — ele disse afinal —, o que você acha que devo fazer?

— Deus me disse que você deve oferecer ao proprietário uma opção no valor de mil dólares — respondi.

— E, então, o que mais?

— Isso foi tudo o que Deus me disse — falei. — Ore a respeito do assunto e, se lhe parecer acertado, faça o negócio.

Foi isso o que Blaine fez. Ele sabia que não devia arriscar-se a agir de forma precipitada só porque ouvira uma profecia. Ele já havia ouvido mais do que o suficiente das assim chamadas "profecias" e visto os tristes resultados quando pessoas crédulas agiram levianamente, terminando em tremenda confusão. Todavia, ele também sabia que não podia negar o valor de um ministério profético genuíno, visto que a Bíblia diz claramente em 1Tessalonicenses 5.20 que não devemos tratar com desprezo as profecias. Assim, o que cabia fazer era orar. Além do mais, Blaine *vinha* mesmo pensando em comprar aquele pedaço de terra; portanto, bem que as palavras proféticas poderiam ser a confirmação de que esta era a vontade de Deus.

Ele orou fervorosamente pedindo sabedoria. Na realidade, continuou pedindo a direção de Deus durante algumas semanas. Examinou as Escrituras e jejuou, buscando uma decisão.

Algumas semanas depois fui ver Blaine de novo.

— Vamos descer e dar uma espiada naquela propriedade — sugeri. — Eu gostaria de vê-la.

Rodamos um pouco, e lá estava ela com seus 32 hectares. Eu podia ver, aqui e ali, sinais de construção acompanhando as margens da propriedade.

— O que está sendo construído por ali? — perguntei a Blaine.

— Duas novas rodovias vão passar por aqui — ele explicou. — A Interestadual 71 e a Rodovia Estadual 48. Elas passarão junto a esta área.

Sorri para mim mesmo. Essa pode ser a razão por que Deus disse que a propriedade ficaria valorizada!

Enquanto olhava em volta, "vi" novamente alguma coisa no Espírito. Adjacente à propriedade, uma fábrica seria construída, e Deus me disse que deveria ser um projeto de muitos milhões de dólares.

— Uma fábrica no valor de muitos milhões de dólares! — exclamei para mim mesmo.

"*Sim*", o Senhor falou, "*esta é uma razão por que esta propriedade trará grande prosperidade a quem a comprar.*"

Então eu disse a Blaine:

— É melhor você preparar o dinheiro para o sinal. Uma fábrica no valor de muitos milhões de dólares será construída aqui, e esta propriedade ficará muito valorizada.

— Como você sabe disso?

— Deus me disse — repliquei com um sorriso.

Ele apenas olhou para mim com ar de interrogação, como se dissesse: "Eu gostaria de estar tão certo disso como *você* está".

Quando voltamos para a casa de Blaine, ele, sua mulher e eu continuamos a orar juntos pedindo direção. Finalmente Blaine decidiu:

— Bem, acho que vou oferecer ao proprietário mil dólares como você disse, e vamos ver o que acontece. — No dia seguinte, de acordo com o planejado, ele foi discutir a compra da propriedade com o dono, um fazendeiro.

— Eu gostaria de depositar mil dólares como sinal para a compra desta propriedade — Blaine disse a ele —, desde que, claro, o preço seja bom. Quanto está pedindo por ela?

— Noventa mil — o homem replicou. — E é uma pechincha!

— Concordo! — Blaine exclamou.

Três dias depois Blaine apresentou uma proposta de que compraria aquela terra se pudesse conseguir o financiamento necessário e se todos os demais detalhes fossem adequadamente atendidos.

A transação definitiva foi efetuada a 15 de abril de 1965. Eu não fazia ideia do que iria acontecer dali em diante, além daquela vaga informação que eu havia "tido" no Espírito. Mas, à medida que o tempo foi correndo e observava Blaine, ano a ano, comecei a maravilhar-me ao verificar que a profecia começava a criar carne e osso.

Em primeiro lugar, a construção da nova Rodovia Interestadual 71 e da Rodovia Estadual 48 estaria concluída em poucos meses, criando importante tráfego. Isso automaticamente tornava a propriedade mais valiosa.

Então Blaine negociou com a Texaco Oil Company um arrendamento para instalação de um posto de serviço, a ser construído numa área de aproximadamente 3 mil metros quadrados. Era um excelente local para esse negócio. Blaine construiu o posto e, então, o arrendou à Texaco por 15 anos, o que lhe proporcionou um belo rendimento.

Dois ou três anos depois, a Cincinnati Milling Machine Company anunciou sua intenção de construir uma fábrica de muitos milhões de dólares, situando-se em três lados da propriedade de Blaine. Quando a fábrica estava sendo construída, entretanto, os construtores verificaram que, no terreno, não havia suprimento de água satisfatório. Ao constatar que havia água na propriedade de Blaine, fizeram um acordo para cessão de 20 mil metros quadrados de suas terras e lhe pagaram três vezes e meia por metro quadrado o que ele pagara ao comprar a propriedade, totalizando 17.500 dólares.

Vários anos depois, os proprietários do Coney Island Park anunciaram planos de construir um novo parque de diversões, chamado King's Island Park, no cruzamento ao sul da propriedade de Blaine, na direção de Cincinnati. Isso foi feito e, novamente, elevou o valor da propriedade de Blaine!

Além disso, em função de um programa de incentivo ao descanso de terras, o Soil Bank pagou 6 mil dólares a Blaine por ele não ter feito nenhuma plantação desde que comprara a propriedade.

E só recentemente Blaine pediu a um avaliador independente que fizesse uma avaliação da área. Ficou, então, sabendo que a propriedade vale *cinco vezes mais* do valor que ele pagou por ela! (A propriedade ainda não foi vendida, por isso quem sabe quanto valerá antes que chegue o "momento áureo" da venda?)

Quando ouvi isso, disse comigo mesmo: "Senhor, tu fizeste isso. De minha parte, apenas dei a Blaine a mensagem que me confiaste para transmitir a ele, e estou certo de que qualquer pessoa, mesmo com uma fé pequena, podia ter feito isso. Mas agradeço-te, Senhor, a boa vontade de Blaine em aceitar tua vontade neste assunto e de obedecer à direção do teu Espírito. Disseste que a propriedade aumentaria de valor; e agradeço-te, Senhor, tu cumpriste tua Palavra!

20
Viagem fantástica

Era bom estar em Londres outra vez. Eu havia terminado outra viagem de pregações e estava ansioso por chegar em casa. Havia combinado de conversar rapidamente com um amigo e pegar um avião para Cidade do Cabo no dia seguinte. Como estava sem dinheiro, resolvi, mais uma vez, mencionar esse fato ao Senhor.

Fechando-me em meu quarto, falei ao Senhor da difícil situação que estava enfrentando e de como eu dependia dele para abrir-me um caminho. Todas as ofertas recebidas pelo meu trabalho nas pregações já haviam sido depositadas no banco e enviadas para a África do Sul, e as ofertas feitas para meu uso pessoal já se haviam esgotado.

Enquanto eu estava orando, senti uma forte impressão de que devia modificar meus planos. Em vez de tomar um avião pela manhã, eu devia viajar para casa na tarde seguinte, em um navio da Union Castle.

— Senhor — objetei —, isso vai demorar mais duas semanas!

"*Mas os meus caminhos não são os seus caminhos*", ele replicou. "*Tenho um serviço para você naquele navio, como você logo verá.*"

— Está bem, Senhor — respondi. — Tu sabes o melhor. — E mergulhei na cama para relaxar um pouco.

Por um longo tempo, fiquei ali imaginando que tarefa teria Deus para mim naquele navio. Era muito natural que meus pensamentos se voltassem para Smith Wigglesworth, o grande pregador-bombeiro que Deus usou certa vez para, entre outras coisas, provocar um reavivamento em um navio de passageiros. Lembrei-me claramente do incidente, pois me fora relatado pouco depois de minha conversão, por Jimmy Salter, genro de Smith Wigglesworth.

Smith estava em um grande navio viajando de Southampton para Cidade do Cabo. E, o que não deixa de ser interessante, segundo me disse Jimmy, era um navio de propriedade da Union Castle Steamship Company e por ela operado. Quando algumas pessoas souberam que o famoso evangelista estava a bordo, convidaram-no para participar de um concerto no navio. Bem, uma das coisas mais indecentes do mundo naqueles dias era um concerto em um navio. A cinco quilômetros da costa, tudo era permitido.

Smith suspeitou que estavam tramando alguma gozação, pois todo mundo sabia que ele não podia cantar uma nota e nem mesmo era capaz de pronunciar o som da letra "h". Mas, como já havia sido ridicularizado antes, resolveu aproveitar a oportunidade para dar um pequeno testemunho.

— Está certo — ele disse. — Tomarei parte com duas condições: primeira, apresentarei o número inicial do programa, e, segunda, vocês me permitirão cantar.

— Eu me pergunto: o que ele irá cantar? — uma senhora disse.

— Que tal 'oly! 'úly! 'oly? — sugeriu um camarada fazendo piada.*

*Trata-se da palavra *holy*, "santo", sem o "h" inicial que o pregador não conseguia pronunciar, já que o "h" é aspirado em inglês.

— Isso mesmo! Em todos os tons — acrescentou outro, provocando a maior explosão de risos.

Enfim, a noite do concerto chegou, e o grande Smith Wigglesworth cantou *Conta-me a história de Cristo* diante de 1.500 pessoas. A unção do Espírito Santo veio sobre ele, e o homem cantou como jamais cantara antes. Quando terminou o hino, o silêncio da plateia era total, e ele começou a pregar. O poder do Espírito caiu sobre o povo, e Smith Wigglesworth conseguiu um reavivamento a bordo daquele navio que durou pelo resto da viagem.

Deitado ali, pensando acerca desse incidente, orei: — Senhor, podes usar-me dessa maneira?

E Deus disse: "*Amanhã de tarde você viajará naquele navio, e eu lhe darei um reavivamento semelhante ao que dei a Smith Wigglesworth*".

Olhei para o relógio. Era 1 hora da tarde. Desci rapidamente as escadas, falei ao meu amigo sobre a mudança de planos e me dirigi ao escritório da Union Castle Steamship Company para tentar conseguir uma passagem.

Caminhei para aquele escritório sem nenhum dinheiro no bolso. Tive de esperar na fila para falar com sr. Osborne, o agente de viagem.

— Sr. Osborne — disse quando chegou minha vez —, desejo embarcar no navio que zarpa amanhã à tarde de Southampton para Cidade do Cabo, o *Sterling Castle.*

— Senhor — ele respondeu —, tenho 300 pessoas na lista de espera para aquele navio. Receio que não haja esperança.

— Apenas acrescente meu nome à lista, sim? — insisti. — Deus me disse que devo viajar naquela embarcação.

— Mas *eu* já lhe disse, não tenha vã esperança.

— Sr. Osborne — eu disse com um sorriso —, estarei naquele navio!

— Nunca! — ele retrucou. — Não há como!

Apesar disso, ele relutantemente acrescentou meu nome à lista e resmungou algo não muito lisonjeiro.

Justamente nesse instante ouvi uma voz apregoando:

— Chamando o reverendo Robert Thom. Chamando o reverendo Robert Thom.

Virei-me e vi um rapazinho que tinha menos de um metro e meio de altura, vestido com o uniforme da British Overseas Cable.

Puxando-o pelo cotovelo, falei:

— *Eu sou* o reverendo Robert Thom.

— Um telegrama para o senhor — ele disse e me entregou um envelope.

— Obrigado — respondi um tanto encabulado, pois eu não tinha dinheiro bastante para lhe dar uma gorjeta.

Quando abri o envelope, encontrei dentro dele, para meu espanto, um cabograma com uma ordem de pagamento no valor de 200 dólares. Fora enviado por alguns amigos de Spencerville, Ohio.

Voltei-me rapidamente para o agente de viagem e perguntei:

— Sr. Osborne, qual é o preço da passagem para África do Sul?

Sem piscar um olho ele respondeu:

— Na classe turística, custa 200 dólares.

— Bem, não é espantoso? — exclamei, empurrando o cabograma por cima do balcão. — Acabo de receber este cabograma garantindo o *pagamento exato dessa quantia!*

Ele o pegou e o examinou olhando por cima dos seus óculos de aro de ouro.

— Hum, sim, 200 dólares — ele resmungou.

— Não é maravilhoso? — falei, exultante. — Aquele pessoal não fazia ideia de quanto eu preciso deste dinheiro.

— Mas o dinheiro não é seu — ele replicou, ainda examinando o cabograma.

— Não se faça de tolo — repliquei. — Certamente que é.

— Desculpe-me, senhor; se olhar mais atentamente, verá que esta ordem é pagável à Union Castle Steamship Company.

De fato, quando examinei o cabograma novamente, verifiquei que houvera um engano no endereçamento. A autorização era para pagar 200 dólares ao destinatário: Union Castle Steamship Company, aos cuidados do reverendo Robert Thom, Bond Street, Londres, W.C.1, Inglaterra.

— Como o senhor está vendo — observou o agente —, este dinheiro pertence legalmente à Union Castle Steamship Company.

— Sim, estou vendo — falei —, mas o que o senhor está tentando me dizer?

— Ora, simplesmente que este dinheiro tem de ser lançado em nossos livros e ser depositado em nosso banco. Não posso pagar-lhe esse dinheiro enquanto não for autorizado a fazê-lo.

— E, nesse tempo, que faço eu?

— Isso não sei, senhor, mas este dinheiro terá de seguir pelos canais competentes, o que vai levar um dia ou dois.

Eu estava aturdido. O que ia fazer agora? Detive-me ali em silêncio por uns instantes. Por fim falei:

— Bem, sr. Osborne, vá em frente e encaminhe o cabograma. Enquanto isso eu vou a Southampton. E, amanhã à tarde, estarei a bordo do navio.

— Oh, não! O senhor não estará! — ele bufou em resposta.

— Oh, sim! Estarei! — respondi sorrindo. — Deus me disse que estarei naquele navio.

— O senhor está perdendo seu tempo, sr. Thom — ele replicou enfadado. — E o meu também. Passe bem, senhor!

Naquela tarde, voltei à casa do meu amigo, com a certeza de que Deus ia desfazer aquela embrulhada e pôr em ação o seu propósito. Já à noite meu amigo me disse o quanto apreciava meu ministério e me entregou alguns dólares em um envelope. Ao ver a quantia, constatei que era justamente o valor de minha passagem de trem a Southampton.

Assim, no dia seguinte, eu viajava rumo ao sul, com destino a Southampton, cerca de 250 quilômetros de distância. O navio devia zarpar às 4 horas naquela tarde. Às 2 horas dirigi-me ao posto da alfândega e pus minhas malas sob a inicial "T". Contando apenas com o natural, eu sabia que a viagem era impossível. Não havia nenhum indício de que eu conseguiria embarcar naquele navio. Mas "a fé [...] é a prova das coisas que não vemos" (v. Hb 11.1). Por isso segui em frente e me movimentei como um passageiro. Dirigindo-me a uma mesa, comecei a separar todos os documentos necessários para a fiscalização das autoridades da imigração. Estava ali escrevendo quando um guarda de segurança se dirigiu a mim.

— Seu nome, senhor?

— Reverendo Robert Thom — respondi.

— Robert Thom? Meu caro, chamaram o *seu* nome durante toda a última hora!

— Chamaram?

— Sim. Pegue toda a sua bagagem e suba a bordo, dirigindo-se à sala de descanso dos turistas. Era de lá que o estavam chamando.

— Obrigado, senhor! — respondi, juntando todos os meus papéis e malas e encaminhando-me para a prancha de embarque tão depressa quanto podia. Quando saí do cais rumo ao navio, havia mais de 300 pessoas esperando para embarcar, embora faltasse ainda uma hora para a permissão de entrada de alguém no convés.

— Com licença — fui pedindo, enquanto abria caminho com os cotovelos através da multidão. — Com licença, por favor... Sinto muito, senhora... Com licença, senhor...

Tenho certeza de que eles queriam saber quem eu era e com que direito embarcava naquele navio antes de qualquer outra pessoa! Quando entrei na sala de descanso dos turistas, lá estava o comissário de bordo sentado diante de uma mesa, preenchendo alguns formulários.

— Reverendo Robert Thom, senhor — apresentei-me.

— Reverendo — ele disse —, nós o chamamos várias vezes. Onde o senhor estava?

— Bem — falei com confiança —, levei um bom tempo para chegar aqui, mas aqui estou; do que se trata?

— Senhor, tivemos um cancelamento e, por alguma razão desconhecida, embora o senhor estivesse no fim da lista de espera e eu nada soubesse a seu respeito, senti que devia ceder-lhe o lugar.

— Muito bem; quanto custa? — perguntei.

— Duzentos dólares.

— Senhor — falei —, já depositei esse dinheiro em seu escritório em Londres. Quer ter a bondade de telefonar ao seu agente, o sr. Osborne?

— Vou telefonar — ele disse —, mas por que o senhor pagou adiantado quando ainda não havia a reserva do beliche?

— O sr. Osborne explicará isso — respondi.

Então, enquanto ele completava o chamado para Londres, eu disse baixinho: — Senhor, isto é maravilhoso! Contudo há algo mais: eu não tenho dinheiro para as pequenas despesas. Ficarei no mar durante duas semanas e, no trajeto, terei de atravessar o Equador; no entanto, não tenho dinheiro nem para uma garrafa de refrigerante. Se não for amolação, Senhor, podes conceder-me mais um milagre?

Nesse momento o Comissário desligou o telefone.

— Tudo em ordem — ele disse. — Dê-me apenas mais um instante para preparar seu recibo e, então, o senhor pode seguir seu caminho.

Assim que ele começou a escrever, parou de repente e me perguntou:

— O senhor é um autêntico reverendo?

— Sim, senhor — respondi.

— Ótimo — ele continuou. — O senhor tem direito a um desconto de 10%. Vou lhe devolver 20 dólares agora mesmo. Está tudo em ordem?

— Louvado seja o Senhor! — falei bem alto. Ele sorriu e acabou de fazer o recibo. Duas horas depois o grande transatlântico estava no mar, e eu seguia a caminho de casa.

Depois de um dia ou dois cortando o Atlântico, comecei a pensar na promessa de Deus conceder-me no mar um reavivamento semelhante ao de Smith Wigglesworth. Orei fervorosamente pedindo orientação; e, no nosso primeiro domingo a bordo, fui movido a pedir permissão para realizar um culto naquela noite. O capitão era muito bondoso e me autorizou a usar o salão onde os passageiros muitas vezes jogavam e bebiam. Ele mesmo providenciou para que o culto fosse anunciado pelos alto-falantes de bordo.

Quando chegou a hora do culto, o salão estava tão cheio que não tínhamos condições de acomodar todos os presentes. Obtivemos permissão para abrir as janelas do recinto e instalar alto-falantes de modo que os que estivessem no convés pudessem ouvir. Havia 1.500 pessoas a bordo, e fui informado de que pelo menos 1.200 participaram da reunião.

Um dos oficiais do navio dirigiu o culto. Depois de alguns cânticos e da coleta, fui apresentado. Preguei sobre a salvação por meio do sangue de Jesus. Senti grande unção naquela noite e, quando fiz o apelo a homens e mulheres para que recebessem a Cristo, muitas pessoas vieram à frente e fizeram a oração do pecador.

Depois do culto, o oficial me entregou o dinheiro arrecadado na coleta.

— Obrigado, senhor — falei —, mas não necessito disso. — Precisava tomar cuidado para não dar a impressão de que o dinheiro era o motivo para a pregação.

— Mas este é o privilégio do orador, senhor — ele replicou. — Sempre damos a oferta arrecadada ao orador.

— Aprecio — muito — respondi —, mas o que vi nesta noite, homens e mulheres recebendo a Cristo em pleno Atlântico, é a minha melhor recompensa pelo esforço feito.

— Isso é muito bonito — ele insistiu. — Mas, diante da ordem do comissário do navio, devo insistir em que o senhor receba o dinheiro.

— Está certo, dê-me isso aqui — concordei. — Vou falar com o comissário a respeito.

Um minuto após, caminhei até a mesa do comissário e coloquei o dinheiro diante dele.

— O que é isso? — ele inquiriu.

— É a oferta do culto desta noite.

— Então ela é sua — ele replicou. — Todas as ofertas são encaminhadas ao orador.

— Sr. comissário — explicou —, aprecio muito esse gesto, mas, veja, eu sou ex-marinheiro e...

— Não me diga! — ele interrompeu. — O *senhor* foi marinheiro?

— Sim, senhor — eu disse sorrindo —, e também muito bêbado. Agora o senhor poderia encaminhar esta oferta de 86 libras inglesas ao Fundo de Órfãos e Viúvas de Marinheiros?

— O senhor não pretende fazer isso — ele falou, incrédulo.

— Pretendo sim, senhor.

— Fale-me a seu respeito.

Comecei, então, a testificar àquele comissário. Contei-lhe tudo a respeito dos anos de bebedeira na Marinha e de como Jesus havia transformado a minha vida. Falei-lhe dos muitos milagres que eu havia visto ao redor do mundo. Ele sorveu cada palavra, piscando forte algumas vezes, na tentativa de reter uma lágrima.

— Reverendo — ele disse depois que terminei. — Quero fazer alguma coisa pelo senhor. Sabe aquele salão onde o senhor falou esta noite? O salão é seu pelo resto da viagem; pode realizar cultos ali todas as noites se o senhor quiser.

Foi exatamente o que fiz. Ao chegarmos à Cidade do Cabo, eu me sentia o próprio Smith Wigglesworth II.

21
Henley Manor, 205

O ministério na África continuava a crescer. Deus me mostrou que preparar os nativos da terra para se tornarem missionários era muito mais barato do que trazer missionários norte-americanos de fora. Enquanto manter um missionário norte-americano requeria várias centenas de dólares por mês, um nativo, que já conhecia a língua e os costumes locais, podia alcançar seu povo por apenas 35 dólares mensais. Assim, começamos a acrescentar mais e mais evangelistas nativos ao nosso quadro de obreiros e enviá-los para dirigir cruzadas em muitas partes da África.

Confesso que achava difícil repousar na cama à noite, pensando nos 344 milhões de habitantes da África, dos quais a maior parte estava sem Cristo. Agentes comunistas e missionários maometanos, aos milhares, estavam em franca atividade por todo o continente, espalhando sua literatura e proclamando sua mensagem. Que direito eu tinha de descansar tranquilamente, enquanto eles estavam agindo com tanto afã, noite e dia?

Meu filho Drummond, que fora para os Estados Unidos e decidira consagrar sua vida ao ministério, criou uma organização em Louisville, Kentucky, para o fim específico de sustentar evangelistas nativos, bem como supri-los com Bíblias, bicicletas e amplificadores de som. Este era um grande auxílio para nós, e, apesar disso, havia muito mais a ser feito.

Eu estava muito preocupado com o crescimento espiritual de nossos jovens convertidos. Deus pôs em meu coração a importância de colocar literatura edificante em suas mãos; então, escrevi livros e panfletos e os imprimi aos milhares em nossa própria gráfica. Em quatro meses imprimimos mais de 80 mil exemplares na língua africâner e fiz planos para publicar literatura em uma centena de idiomas e dialetos africanos.

No meio de toda essa atividade, no entanto, Deus nunca me deixou esquecer que também havia jovens cristãos dependendo de minha atenção no meu próprio lar. Embora Joyce fosse uma maravilhosa cooperadora na educação das crianças nos princípios cristãos (e eu nada teria conseguido sem ela), eu também tinha minha obrigação de compartilhar. Deus esperava que eu fosse o líder espiritual do meu lar. Assim, eu sentia constantemente o desafio de destinar bastante do meu tempo e de minha atenção à Joyce e às poucas crianças que ainda estavam em casa, sem deixar de, ao mesmo tempo, fazer a obra de Deus.

Acho que foi a percepção da responsabilidade que me dispôs a aceitar a sugestão do Senhor, em 1968, para levar minha família numa viagem evangelística através da Europa. Já havíamos feito algumas viagens antes, e eu tinha certeza de que isso novamente nos faria bem. Entretanto, eu não tinha a menor ideia de onde viria o dinheiro necessário a tão dispendioso empreendimento.

No entanto, *deveria* haver uma saída. Joyce se mostrava cada vez mais impaciente e vivia falando em mudar de casa.

— Bob — ela disse —, penso que Deus quer que nós mudemos daqui. Agora que a maior parte das crianças está crescida, não precisamos de uma casa tão grande.

— Mas para onde nos mudaríamos?

— Eu gostaria de morar em Henley Manor.

— *Henley Manor*? O edifício de apartamentos de luxo junto ao mar?

— Sim. Você não gostaria?

— Acho que sim, mas como conseguiremos recursos para pagar o aluguel?

Ela olhou para mim com um ar divertido.

— Será o homem de fé da África que está falando? — ela caçoou. — Ou será que Deus morreu ontem e ninguém me contou?

— Mas você precisa usar de bom senso — eu contradisse sem muita energia.

— Eu *estou* usando de bom senso — ela insistiu. — Acho que Henley Manor seria um escritório central muito melhor para nosso ministério do que este lugar. E, além do mais, Jesus não disse que "... tudo o que pedirem em oração, se crerem, vocês receberão" (v. Mt 21.22)?

— Sim, foi isso o que ele disse — concordei.

— Bem, então, eu digo que logo estaremos morando em Henley Manor.

— Você deve estar maluca! — repliquei. — Nunca moraremos ali.

— Mas eu digo que moraremos — ela insistiu. — Deus me disse.

Antes de dormir, naquela noite, ponderei mais profundamente sobre o assunto. Eu *precisava* levar Joyce e os meninos naquela viagem à Europa. Nada mais seria capaz de curar aquela impaciência, bem como suas ideias malucas de mudança. "Senhor", orei, "tu e eu sabemos que esta viagem é financeiramente impossível, mas tu disseste '[...] e tudo o que pedirem em oração, se crerem, vocês receberão'". De repente me lembrei que era exatamente *essa* a promessa que Joyce havia citado na conversa comigo aquela tarde! Sorri no escuro e dormi.

No dia seguinte, falei aos garotos sobre a viagem à Europa. Todos "explodiram" a um só tempo, e já queriam saber quando iríamos, a que distância, se acamparíamos em uma barraca e quando poderíamos começar a arrumar as coisas.

— Esperem! — falei. — Como vocês sabem, esta viagem vai custar muito dinheiro, e nós só poderemos realizá-la se Deus suprir o necessário. Assim, antes de começar a arrumação, sugiro que oremos ao Senhor!

E assim fizemos. Oramos fervorosamente a respeito do assunto durante duas semanas. Por fim, Deus nos mostrou que a viagem deveria ser uma aventura de fé. Em vez de esperarmos até ter bastante dinheiro, usaríamos o dinheiro que possuíamos e iríamos tão longe quanto ele nos permitisse. Deveríamos, então, depender de Deus para suprir o necessário para a parte seguinte da jornada — e a seguinte — até que chegasse a hora de voltarmos para casa. Senti que essa seria uma maneira excelente de ensinar aos meninos um pouco mais sobre as alegrias de viver pela fé.

Fizemos os arranjos para ir primeiro a Londres, daí passaríamos à França. Planejamos visitar muitos países, terminando nossa viagem em Genebra, Suíça, e de volta à Cidade do Cabo.

— É inverno no norte — adverti Joyce —, por isso é possível que tenhamos de ficar em Londres por algum tempo.

— Mas onde? — Joyce perguntou. — Precisamos alugar uma casa, não acha?

— Acho que sim — respondi. — Tive uma ideia. Eu ajudo você a arrumar todas as coisas necessárias caso tenhamos de alugar uma casa. Em seguida voo para Londres antes de você e procuro uma casa mobiliada. Você e os meninos vão de navio.

A ideia pareceu boa a Joyce e, assim, gastamos os dois ou três dias seguintes embalando as coisas necessárias à viagem.

— Trate de levar boa quantidade de cobertores — falei a Joyce. — Não queremos ninguém apanhando resfriado.

Enchemos 17 caixas de papelão com roupa de cama, pratos, talheres etc. e fizemos planos para que seguissem no mesmo navio em que Joyce e os meninos viajariam. Em poucos dias tomei um avião para Londres, enquanto a família embarcava em um navio que chegaria a Londres duas semanas depois.

Eu havia entrado em contato com alguns cristãos amigos em Londres e lhes comunicado nossos planos. Eles haviam prometido esperar-me no aeroporto. E, de fato, quando desci do avião no ar frio e invernoso do Aeroporto Heathrow, lá estava um bom irmão com uma caminhonete.

— Irmão Thom — ele disse —, espero que goste desta caminhonete. Nossa igreja a está doando a você e à sua família para que usem em sua viagem pela Europa. — Sua respiração lançava pequenos jatos de vapor enquanto falava.

Agradeci-lhe efusivamente e, então, fui levado à sua casa para passar ali alguns dias até que os arranjos definitivos fossem feitos.

Nas duas semanas seguintes orei por direção e andei à procura de casas. Entretanto, por mais que procurasse, não consegui localizar uma casa adequada. "Bem", pensei, "o inverno não está assim tão rigoroso. Talvez seja melhor esquecer a casa e começar a viagem".

Assim, guiei a caminhonete rumo a Southampton com tempo de esperar Joyce e os garotos. Os meninos me viram antes que eu os notasse; desceram a prancha e, em coro, deram um grito e desandaram a falar freneticamente.

Não demorou muito e os levei ao lugar onde a caminhonete estava estacionada.

— Veja, querida — falei a Joyce. — Já conseguimos transporte!

— Onde você a conseguiu? — Joyce quis saber.

— Esse é o milagre número um! — respondi, tocando-a gentilmente com o cotovelo, enquanto ela tremia. — É uma dádiva para nós enquanto estivermos na Europa.

— Louvado seja o Senhor! — ela exclamou. — Não é espantoso como Deus continua cuidando de nós?

— Claro que é! — sorri.

— Não há nada impossível, há?

— Absolutamente nada! — gritei.

— Então nem mesmo Henley Manor é impossível, é?

Fiz de conta que não a ouvira e tratei de abrir as portas da caminhonete.

Pulamos todos para dentro e saímos à procura do agente do navio para providenciar a armazenagem de nossas 17 caixas de roupas e utensílios até o momento de nossa volta. Expliquei a Joyce que eu havia encontrado dificuldades para alugar uma casa.

— Talvez o Senhor não queira que aluguemos uma casa — Joyce replicou. — Não será melhor viajarmos logo?

— Era isso o que eu estava pensando — respondi.

Nossos amigos de Londres, porém, quando souberam de nossos planos, acharam que devíamos esperar até que a primavera chegasse. Mas nós oramos fervorosamente e, por fim, ajudados pelas ofertas de alguns cultos que realizamos, conseguimos o dinheiro para pagar nossa passagem e o transporte marítimo da caminhonete até a França. Deixamos nossas 17 caixas armazenadas e seguimos viagem.

Uma vez na França, seguimos viagem e, por vários meses, aquela caminhonete se transformou em nossa casa ambulante. Quando nos defrontávamos com um frio mais forte, não faltavam amigos de coração quente nos oferecendo acomodação confortável para passarmos a noite. Dirigi cultos em muitas igrejas, salas e casas, e muitas pessoas espiritualmente famintas foram salvas, curadas e batizadas no Espírito. Tanto Joyce como os meninos se sentiram plenamente felizes por participarem dos cultos e ajudarem como podiam.

O velocímetro ia marcando um número de quilômetros cada vez maior à medida que avançávamos através do maravilhoso inverno da Bélgica, da Holanda, da Alemanha, sem parar, por terras aparentemente intermináveis. Sempre recebíamos ajuda financeira suficiente para alcançarmos o ponto seguinte.

Ao fim do inverno tínhamos completado o círculo e estávamos rumando, de volta já, para o oeste, através dos majestosos

Alpes Suíços. Com a chegada à Genebra, nossa viagem estaria terminada. Eu levaria a caminhonete à Inglaterra e minha família voaria de volta à África do Sul.

Quando nos registramos no Hotel Pascal, em Genebra, falei a Joyce: — Vamos ficar aqui para o fim de semana. A viagem foi cansativa e será uma boa oportunidade para você e os pequenos saírem e se divertirem na neve. — Assim fizemos.

Na segunda-feira de manhã, todos descansados e refeitos, fazíamos os últimos preparativos para deixar o hotel e seguir para o aeroporto.

Pouco depois, enquanto esperávamos a hora de partida do avião, Joyce me disse:

— Não se esqueça de retirar nossas caixas da armazenagem e embarcá-las para Cidade do Cabo. Os talheres e pratos vão me fazer falta.

— E o que você fará até que eles cheguem? — perguntei.

— Pedirei emprestado, acho. Quanto tempo vai demorar?

— Duas ou três semanas depois que forem embarcados. Já deviam ter sido despachados há duas semanas. Ainda por cima é preciso pagar a conta da armazenagem antes de ter o material a bordo.

— Oh, querido, esqueci isso. Será muito caro?

— Se multiplicarmos 17 caixas a 35 centavos por dia cada, a conta deve chegar a várias centenas de dólares, penso. Junte a isso o frete para a África.

— E onde você vai conseguir todo esse dinheiro?

— Não faço a menor ideia — admiti — , mas Deus sempre chega na hora certa, não chega?

— Está bem — ela disse, dando-me um beijo de despedida. — Daqui a poucas semanas nos vemos em Henley Manor.

— Henley Manor! — respondi com uma gargalhada. — Pensei que você havia esquecido isso! Não temos recursos para morar lá; somos gente pobre, lembra-se?

— Mas nós temos um Deus rico! — ela replicou com um piscar de olhos. — Venham, meninos, está na hora de embarcar!

Beijei-os todos às pressas e em poucos minutos lá estavam eles, voando sobre Genebra, rumo à Cidade do Cabo.

Quando, alguns dias depois, cheguei a Londres, fui imediatamente à companhia de navegação para cuidar da remessa das minhas 17 caixas. Eu não fazia a menor idéia de como ia pagar a conta, mas Deus sabia quão importante isso era para mim, e senti que ele mostraria uma saída.

Quando me dirigi ao escritório do agente de viagem e perguntei sobre os volumes armazenados, o jovem funcionário atrás da mesa começou a preencher um formulário.

— Seu nome, senhor?

Assim que mencionei meu nome, ele parou de escrever e seu rosto empalideceu.

— Alguma coisa errada?

— Senhor — ele respondeu hesitantemente —, lamento dizer-lhe, mas cometemos um terrível engano. Há duas semanas despachamos suas caixas para Cidade do Cabo. Elas chegam lá amanhã.

— Mas por que fizeram isso sem minha ordem? — perguntei.

— Não sei — o pobre rapaz só faltava chorar. — Foi um engano. Sinto muito, mas não sei explicá-lo.

— Bem, e quem será o responsável financeiro por tudo isso? — perguntei. — Quem vai pagar a armazenagem e o frete?

— Creia-me, senhor — ele replicou —, nossa companhia responderá por tudo. Eu só não compreendo como um engano estúpido como esse pode ter acontecido, mas eu lhe garanto que não lhe vai custar um centavo. Espero que o senhor compreenda.

De repente compreendi! — Senhor! — falei baixinho. — Um milagre!

Então disse ao funcionário: — Moço, quer fazer o favor de me dar por escrito a declaração de que a companhia assume a responsabilidade da conta? Dê-me apenas uma quitação assinada e avise o pessoal do navio para deixar minhas caixas na Cidade do Cabo.

— Sim, senhor! — ele replicou, obviamente aliviado porque eu não me mostrava zangado.

Assim que me entregou a quitação, corri para um telefone e liguei para Joyce, que já estava na Cidade do Cabo. Ela ficou surpresa em ouvir a minha voz!

— Bob, há alguma coisa errada? — ela perguntou.

— Não! Está tudo bem! — exclamei. E expliquei o que havia acontecido. — Assim, tudo o que temos de fazer é ir à companhia de navegação amanhã apanhar nossas caixas! — concluí. — Não é maravilhoso?

— Louvado seja o Senhor! — ela gritou. — Isto é um milagre!

— Claro que é! — concordei.

— Bob — ela falou, baixando a voz —, posso fazer uma pergunta?

— Pode. O que é?

— Posso autorizar que aquelas caixas sejam enviadas para Henley Manor?

A oportunidade não poderia ter sido melhor. Eu ri entre os dentes e repliquei: — Doçura, se você tem fé à altura do aluguel em Henley Manor, então autorize!

— Viva! — ela gritou. — Até que enfim o homem de fé da África reaparece! — Rimos até nossa face doer.

Quando desliguei o telefone, decidi que era melhor voltar para casa o quanto antes. Depois de alguns dias, recebi várias ofertas de cultos que somaram o suficiente para comprar minha passagem aérea de volta para casa.

Assim que desci do avião na Cidade do Cabo, telefonei a Joyce, e ela veio me buscar no aeroporto. Em questão de minutos, ela chegou e me levou à nossa nova casa, e agora também a nosso novo escritório central, em Henley Manor, 205.

22
A resposta

Em 1970, estava sentado em nosso apartamento, lendo o jornal, quando vi uma notícia sobre um ex-capelão que daria seu testemunho em uma igreja em Durban. O artigo contava como este capelão servira na Segunda Grande Guerra com uma unidade do Exército Sul-Africano em um lugar chamado El Kantara, no Egito.

— El Kantara! — falei comigo mesmo. — Esse é o lugar onde *eu* estava aquartelado. — Olhando de novo o nome do homem e reconhecendo-o, quase saltei da cadeira.

— Joyce! — gritei. — Olhe aqui!

— O que é? — ela perguntou, entrando na sala.

— Veja esta notícia no jornal. Lembra-se do que lhe contei sobre um capelão que se recusou a me ajudar no Egito, quando eu estava enfrentando meu problema com a bebida?

— Você se refere a um capelão com quem você tentou conversar após sua volta da Terra Santa?

— Sim, esse mesmo.

— Essa notícia é a respeito dele?

— Exatamente. Parece que ele foi salvo. Ele dará seu testemunho em uma igreja em Durban.

— Bem, isso não é importante? Você vai até lá para ouvi-lo?

— Bem que gostaria, mas é uma viagem muito longa. Acho que vou escrever ao velho maroto. Duvido que ele se lembre de mim!

Então, peguei pena e papel e comecei a escrever. "Capelão", comecei, "quero que se lembre de 1942, quando você estava aquartelado no deserto, em um lugar chamado El Kantara. Se você se lembra, um jovem soldado o procurou. Eram 5 horas e a cantina acabara de abrir, e ele queria falar a você sobre sua alma. Você disse que não tinha tempo e entrou na cantina para tomar seus drinques".

"Capelão", prossegui, "eu sou aquele jovem soldado. Acabo de ler no jornal a notícia sobre sua reunião em Durban e apenas desejo que você saiba que fui salvo; eu me converti pelo poder de Jesus Cristo". Em seguida alonguei-me contando-lhe algumas das coisas emocionantes que haviam acontecido comigo desde minha conversão. Junto com a carta enviei-lhe um dos meus livros.

Alguns dias depois recebi uma bela carta: "Oh, quanto agradeço a Deus por sua salvação!", dizia. "Você jamais saberá como aquele incidente me perturbou estes anos todos. Estava sempre e sempre lembrando como falhei com você na hora de sua necessidade, e minha consciência me perturbava terrivelmente. Cheguei a pensar que jamais teria alívio do terrível peso de culpa, mas então sua carta chegou! Oh, como ela foi doce para a minha alma! Afinal, o peso foi retirado."

Quando mostrei a carta a Joyce, ela disse:

— Você sabe, Bob, não existe um só momento sombrio quando você realmente confia em Jesus.

— Eu diria que não — repliquei. — É pena que muitas pessoas não compreendam isso. O mundo está cheio de gente que anda à procura de emoção e aventura, e eis que nós tivemos mais emoção em tão poucos anos seguindo a Cristo do que muitas pessoas tiveram em sua vida inteira.

— Bem, as pessoas ficam confusas — continuou Joyce calmamente. — As luzes brilhantes do mundo, a música barulhenta e os copos de vinho as fazem pensar que essas coisas são tremendamente emocionantes.

— Mas nós sabemos que o vinho novo é melhor, não sabemos?

— Claro que sim! — ela exclamou. — Eu não voltaria àquela velha vida nem por todo o ouro do mundo!

— E, não obstante, tivemos nossos problemas, criamos nove filhos sem ter uma renda fixa e sem nunca saber como pagar o aluguel do mês. Você está ciente de que, na última semana, pela 236ª vez, você me perguntou: "Como vamos pagar o aluguel?".

— Aí vai você de novo, controlando a conta — ela riu. — Contudo a coisa admirável é que nunca nos atrasamos uma só vez em todos estes 21 anos.

— Bem, é isso o que torna emocionante a vida cristã — eu disse. — É ter grandes problemas e observar Deus resolvê-los a seu próprio modo.

— Naturalmente, muitos cristãos não veem os milagres que nós vimos — ela observou. — As igrejas estão cheias de pessoas que vivem uma vida monótona, enfadonha e que dificilmente chegam a ver um milagre. Eu gostaria de saber por quê.

— Existe apenas uma resposta para essa pergunta — repliquei. — *Não acontecerão grandes coisas enquanto a pessoa não se dispuser a correr um risco com Deus.*

— Eu acho que o risco pode parecer grande demais para certas pessoas — ela comentou.

— Concordo — falei. — Mas, depois que a pessoa constata que a Palavra de Deus é inteiramente digna de confiança, já não parece um risco.

Esta obra foi composta em *Adobe Garamond*
e impressa por Gráfica Exklusiva sobre papel
Pólen Natural 70 g/m² para Editora Vida.